1001

Stratégies amoureuseS

Données de catalogage avant publication (Canada)

1001 stratégies amoureuses

    1. Amours. 2. Séduction. 3. Choix du conjoint.
    4. Femmes – Comportement sexuel.
    5. Hommes – Comportement sexuel.
    I. Titre. II. Titre: Mille et une stratégies amoureuses.

HQ801.P34   1995   646.7'7   C95-941045-7

DISTRIBUTEURS EXCLUSIFS:

• Pour le Canada et les États-Unis:
LES MESSAGERIES ADP*
    955, rue Amherst,
    Montréal, Québec
    H2L 3K4
    Tél.: (514) 523-1182
    Télécopieur: (514) 939-0406
    * Filiale de Sogides ltée

• Pour la Belgique et le Luxembourg:
PRESSES DE BELGIQUE S.A.
    Boulevard de l'Europe 117
    B-1301 Wavre
    Tél.: (10) 41-59-66
        (10) 41-78-50
    Télécopieur: (10) 41-20-24

•Pour la Suisse:
TRANSAT S.A.
    Route des Jeunes, 4 Ter
    C.P. 125
    1211 Genève 26
    Tél.: (41-22) 342-77-40
    Télécopieur: (41-22) 343-46-46

• Pour la France et les autres pays:
INTER FORUM
    Immeuble Paryseine,
    3 Allée de la Seine, 94854 Ivry Cedex
    Tél.: (1) 49-59-11-89/91
    Télécopieur: (1) 49-59-11-96
    Commandes: Tél.: (16) 38-32-71-00
        Télécopieur: (16) 38-32-71-28

Dépôt légal: 3ᵉ trimestre 1995
Bibliothèque nationale du Québec

ISBN 2-7619-1256-X

1001
Stratégies amoureuseS

MARIE PAPILLON

LES ÉDITIONS DE L'HOMME

Avant-propos

C'est le coup de foudre! Voilà la personne rêvée que vous recherchez depuis des années. Elle a toutes les qualités que vous convoitez: une belle apparence physique, un comportement distingué, une belle prestance et une personnalité dynamique. C'est le nirvana! Mais... il y a un problème. Cette personne tant désirée ne vous remarque même pas.

Soudainement, vous vous posez 1001 questions. Comment vais-je m'y prendre pour attirer son attention? Que vais-je lui dire? Si je réussis à l'intéresser, qui lancera la prochaine invitation? Si c'est moi qui fais le premier pas, va-t-elle me rejeter? Si on s'entend pour sortir, qui paiera la note?

Bref, en quelques minutes vous avez imaginé votre vie de couple sans même avoir adressé la parole à la personne désirée. Au fait, il ne vous reste plus qu'à passer à l'action pour réaliser votre rêve. Mais voilà... comment faire?

Marie Papillon a écrit ce livre pour répondre aux besoins des célibataires qui cherchent des façons imaginatives, créatives et fantaisistes pour rencontrer une personne du sexe opposé. Tout au long de ce livre, elle guide le lecteur dans l'art de faire la cour avec succès, elle propose des approches irrésistibles pour flirter et des conseils romantiques pour séduire.

En somme, Marie Papillon propose à ses lecteurs le guide pratique le plus complet sur les stratégies amoureuses.

Introduction

Les célibataires constituent de nos jours un segment de population plus important que jamais. La femme a énormément changé, elle est devenue très autonome; elle a maintenant un emploi ou une carrière. Par conséquent, elle est beaucoup plus indépendante de l'homme, notamment sur le plan financier. C'est ce qui explique qu'il y ait plus de divorces que jamais, car le type d'unions auxquelles plusieurs femmes étaient «confinées» autrefois ne leur convient plus de nos jours et l'homme, malheureusement, n'a souvent pas su s'adapter au même rythme à l'évolution fulgurante de la femme, particulièrement depuis la dernière décennie.

L'homme est devenu le spectateur étonné — souvent ébahi — de la transformation rapide et radicale de la femme. Peu à peu, il s'est demandé comment il composerait avec une telle métamorphose. Il s'est mis à se questionner — avec angoisse quelquefois — sur la transition de son rôle face à cette femme nouvelle et sur la façon de transiger avec elle. On lui avait enseigné que le rôle qu'il devait jouer au sein du couple était principalement celui de «pourvoyeur». Tout à coup, il a senti que le système de valeurs qu'on lui avait inculqué était, en quelque sorte, en train de s'écrouler. Dans la progression de la femme vers une indépendance accrue, si elle n'avait plus besoin de lui comme «pourvoyeur» — songeait-il parfois avec inquiétude —, allait-elle encore vouloir de lui? Et si oui, quel serait son nouveau rôle? À part ces tentatives d'adaptation, l'homme, de son côté, a peu changé; il est resté pratiquement le même.

Les couples d'aujourd'hui se séparent plus facilement que ceux d'autrefois. Ils semblent moins enclins à prendre le temps de régler leurs conflits et, en général, ils ne prolongent plus indéfiniment une relation qui ne les rend pas pleinement heureux. C'est ce qui explique le nombre phénoménal de divorces de nos jours. C'est aussi la raison pour laquelle beaucoup de couples ont choisi de vivre ensemble sans se marier. D'autre part, ceux qui décident malgré tout de le faire se marient généralement beaucoup plus tard qu'autrefois. Ils souhaitent avoir des enfants mais veulent profiter de leur jeunesse ou de leur célibat le plus longtemps possible. Ce sont là les principaux facteurs qui expliquent l'avènement de ce segment de plus en plus important de la population formé de célibataires et de gens redevenus libres.

Aujourd'hui, les relations de couple ont changé de façon très positive. La femme libre n'attend plus d'être choisie comme ce fut probablement le cas pour sa mère ou sa grand-mère. Autrefois, il était mal vu qu'une dame manifeste son intérêt envers un homme; elle ne faisait donc rien qui puisse laisser transparaître ses sentiments de peur d'être jugée et elle attendait plutôt passivement que l'homme fasse les premiers pas. Aujourd'hui, la situation de la femme a bien évolué. Elle peut choisir son partenaire et lui faire part de son intérêt, le plus naturellement du monde.

Pour l'homme, la vie actuelle comporte également des avantages: il n'a plus à faire toutes les démarches pour conquérir la femme et, par conséquent, il n'a pas non plus à prendre tous les risques de se faire rejeter. Il a maintenant droit lui aussi à ce privilège très flatteur de se faire courtiser.

Le monde des gens libres regroupe trois catégories de célibataires: ceux qui ne sont pas encore mariés, mais qui souhaitent le faire un jour; ceux qui ont choisi de ne jamais se marier et, enfin, ceux qui sont redevenus célibataires, c'est-à-dire les séparés, les divorcés et les veufs.

De nos jours, nous n'avons plus vraiment de modèles à suivre en amour. Les couples avancent à l'aveuglette, expérimentent; parfois, ils se trompent et éprouvent alors un sentiment d'échec. L'homme d'aujourd'hui ne peut compter sur l'exemple de son père pour guider son comportement amoureux avec les femmes puisque celles-ci ne vivent pas du tout la même existence que sa mère. De même, la femme ne peut prendre sa mère pour modèle. Ainsi, les hommes et les femmes d'aujourd'hui ne se comportent plus du tout de la même façon que leurs parents, puisque la façon dont le couple évolue est très différente — voire presque contradictoire — des standards qu'ont connus leurs parents. Voilà pourquoi il devient important, pour réussir sa vie sentimentale de nos jours, de développer des stratégies amoureuses qui donnent de bons résultats.

Mais les stratégies amoureuses s'apprennent-elles? Oui, elles s'apprennent; cependant, on ne nous les a enseignées ni à la maison, ni à l'école, ni à l'université. Nulle part, on ne nous a enseigné comment rencontrer astucieusement quelqu'un du sexe opposé et comment lui faire la cour adroitement. En ces temps modernes, les stratégies en la matière ont bien évolué. Il faut donc les découvrir à l'école de la vie, par l'expérimentation et parfois par nos erreurs et nos échecs qui font souvent très mal.

Nous venons tous au monde dotés d'une aptitude à communiquer avec le sexe opposé, de même que nous naissons avec d'autres talents, par exemple celui de chanter. Que fait-on quand on a du talent pour le chant? On peut ne rien faire et se contenter de chanter sous la douche; par contre, on peut suivre des cours, exercer sa voix et devenir un excellent chanteur. On peut même devenir une star. Nous recevons des critiques en cours de route, nous faisons des erreurs, mais nos erreurs nous permettent de nous perfectionner et de devenir meilleurs.

Un philosophe disait quelque chose qui ressemblait à ceci: «Ne me dis pas quels sont tes talents, mais démontre-moi plutôt tout ce que tu sais faire avec tes talents.»

On naît aussi avec certaines autres aptitudes, que ce soit pour la peinture, le tennis, le golf ou le ski. On peut ne jamais vouloir exploiter ce potentiel ou, au contraire, le développer en suivant des cours et en apprenant davantage, en s'entraînant et en se perfectionnant. Pendant l'apprentissage, on commet des erreurs. On veut les éviter, mais on en fait quand même. Puis, plus on s'entraîne, plus on s'améliore. On peut même devenir champion. Il en va de même pour les stratégies amoureuses. L'aptitude à communiquer avec le sexe opposé est en nous. On peut ne pas la développer et y aller à tâtons en accumulant les gaffes et les insuccès, ou encore on peut apprendre des trucs, des techniques, se pratiquer et développer des stratégies; on obtient ainsi plus de succès.

Qu'est-ce que la stratégie amoureuse? C'est une méthode déterminée, une recherche systématique en vue de faciliter vos rencontres avec les gens de l'autre sexe et de réussir votre prochaine relation sentimentale. C'est l'élaboration d'une démarche pensée, organisée et structurée vous permettant de contrecarrer votre nervosité et votre trac lorsque vous rencontrez quelqu'un qui vous plaît, une démarche qui vous permettra donc de faire des rencontres réussies, de charmer et de séduire à tout coup et, surtout, en évitant la panique paralysante et les gaffes qui gâchent souvent tout. La stratégie amoureuse est une stratégie de «gagnant en amour».

La condition essentielle pour réussir, c'est, au départ, d'y croire. Vous devez croire fermement — hors de tout doute — que la personne idéale pour vous existe quelque part et que vous allez la rencontrer un jour. La seule énigme, c'est que vous ne savez pas où et quand vous allez la rencontrer.

Votre stratégie amoureuse devra donc être organisée, réfléchie et méthodique. Cependant, votre façon d'agir et vos attitudes demeureront spontanées et naturelles.

Chacun des nombreux conseils, suggestions et trucs énumérés dans ce livre ne convient pas à tous les types de personnalité. Vous pourrez donc choisir les moyens avec lesquels VOUS vous sentez le plus à l'aise et grâce auxquels VOUS élaborerez vous-même votre propre stratégie amoureuse, une stratégie «à VOTRE mesure». Devenir un «gagnant» en amour est un art, «l'art du savoir-faire amoureux». Si la première condition pour réussir est de croire, la deuxième, c'est d'être persévérant dans la recherche de votre partenaire idéal. Soyez persévérant, vos efforts seront récompensés. La troisième, c'est d'avoir la ferme détermination de trouver un jour la personne de vos rêves. C'est la façon dynamique dont vous effectuerez votre recherche d'un partenaire et l'attitude positive avec laquelle, éventuellement, vous vivrez votre relation amoureuse qui feront toute la différence.

Ce livre offre-t-il une garantie? Si vous le lisez entièrement, que vous le replacez dans votre bibliothèque et que vous ne changez rien à votre façon de faire, à votre manière de traiter vos relations avec le sexe opposé, il est probable que, pour vous, tout continuera comme avant. Par contre, si vous mettez en pratique les conseils offerts, vos chances de réussir en amour augmenteront. En fait, plus le nombre de conseils que vous utiliserez sera grand, plus vous multiplierez vos chances de succès.

Faites attention de ne jamais utiliser l'expression «tomber amoureux», c'est un peu comme si on tombait de très haut. On peut tout aussi bien dire «être amoureux» ou encore «devenir amoureux». Et pourquoi ne pas remplacer les mots «tomber amoureux» ou «tomber en amour» par la formule beaucoup plus positive de «grandir en amour»? C'est dans cette optique de confiance qu'il faut envisager une relation amoureuse. En effet, lorsque vous vivez une relation amoureuse, prenez soin de toujours vous assurer que, sur le plan personnel, vous «grandissez», vous vous épanouissez et vous y gagnez sans cesse, parce que le contact de l'autre vous enrichit continuellement de façon saine. Par contre, il importe que vous preniez garde de ne jamais «tomber» dans une relation en y perdant votre estime de vous-même et votre dignité.

Ce que je vous propose, c'est de développer une stratégie globale basée sur trois principes importants:

1. *Lorsque vous recherchez un emploi, vous postulez auprès de plusieurs entreprises dans l'espoir que quelques-unes d'entre elles vous proposent diverses possibilités qui vous permettront de faire le meilleur choix. De la même façon, lorsque vous recherchez un partenaire amoureux, expérimentez plusieurs techniques d'approche afin de multiplier vos chances de rencontrer quelqu'un et essayez d'obtenir des rendez-vous avec divers partenaires potentiels, vous plaçant ainsi dans une position de faire éventuellement un choix, le meilleur pour votre bonheur.*

2. *Prévoyez que le premier rendez-vous soit court. Prenez seulement un apéro ou un café, en prétextant, par exemple, un dîner qui vous attend. Si la rencontre s'avère heureuse, vous pouvez toujours commander une deuxième consommation ou planifier un deuxième rendez-vous un peu plus long...*

3. *Étudiez subtilement les aspirations amoureuses de vos nouveaux partenaires et retenez en premier lieu les candidatures de personnes qui affirment rechercher le même type de relation amoureuse que vous. Au début d'une relation, on néglige souvent les incompatibilités, suivant le vieil adage: «L'amour est aveugle.» S'imaginer que l'autre changera à votre contact est une douce illusion qui conduit souvent à une cruelle désillusion.*

Voici les étapes à suivre pour développer une stratégie amoureuse efficace et pour trouver l'amour:

En premier lieu, il est important que vous définissiez tous vos buts dans la vie: à court, à moyen et à long terme. Deuxièmement, vous devez les classer par ordre de priorité. Troisièmement, ne vous contentez pas de visualiser vos buts; ce serait une erreur. Pensez bien aux différents processus à suivre pour atteindre les buts que vous vous êtes fixés. Il vous faut ensuite déterminer les objectifs et les moyens qui vous permettront d'atteindre ces buts.

Si vous désirez réussir votre stratégie amoureuse, gardez toujours en tête que votre but premier — le plus important entre tous — doit être de trouver l'amour, un amour véritable et épanouissant pour vous et votre partenaire.

Donc:

- *Classez vos objectifs par ordre de priorité pour trouver l'amour.*

- *Visualisez d'abord une date limite pour atteindre votre but principal. Accordez-vous du temps, car trouver le partenaire idéal en vue de développer une relation amoureuse vraie et durable nécessite parfois une longue recherche. Ensuite, fixez une date pour compléter chacune des étapes que vous vous proposez de suivre pour y arriver. En d'autres mots, établissez un échéancier réaliste.*

- *En attendant d'atteindre votre but ultime, tout en cherchant activement mais patiemment, menez une vie de célibataire satisfaisante et bien remplie.*

- *Dans la poursuite de votre but premier — trouver l'amour —, la persévérance s'avère d'une importance capitale. Trouver votre partenaire idéal prend du temps? Tenez bon et persistez à croire qu'il existe. Ne capitulez surtout pas, car c'est dans les pires moments de découragement, lorsque plus rien ne semble aller, que vous vous trouvez très souvent le plus près d'atteindre votre objectif et de voir enfin le couronnement de vos efforts.*

- *Assurez-vous aussi de vouloir rester dans la course. Si vous désirez profondément et sincèrement vivre une relation intime satisfaisante, vous y arriverez, à condition, bien sûr, de ne pas abandonner.*

À propos de la persévérance, Gide a écrit un jour: «C'est une grande et rare vertu que la patience, que de savoir attendre et mûrir, que de se corriger, se reprendre et... tendre à la perfection.»

Pour rencontrer la personne idéale, toutes les méthodes sont valables, y compris celle que vous aurez choisie. L'important, c'est que vous recherchiez activement. Le fait de «croire» que vous rencontrerez le partenaire idéal au bon moment, de même que la patience dont vous faites preuve, vous apportent une paix intérieure qui vous incite à accepter la vie comme elle vient, dans la sérénité plutôt que dans la lutte, la panique et la nostalgie.

En attendant de rencontrer la personne rêvée, vivez donc pleinement votre célibat. Comment vit-on pleinement son célibat? On décore sa demeure, on s'achète un appartement, un condo ou une maison si on en a les moyens, on concrétise ses projets de voyage, on s'offre la chaîne stéréo dont on rêve depuis longtemps, on va au cinéma, on se parfume et on se fait beau ou belle pour faire plaisir. On s'ouvre une bouteille de vin quand le cœur nous en dit, on allume une chandelle pour un dîner en tête-à-tête avec soi-même, on fait brûler de l'encens pour créer une ambiance relaxante, on allume un feu de foyer, on fait jouer sa musique préférée, on se gâte, on s'aime parce qu'on le mérite. On profite à plein de son indépendance et de sa liberté. On vit le présent à fond de train.

La vie, c'est maintenant, ne la ratez pas. En pensant à hier ou à demain, vous risquez de laisser passer cet instant magique que vous offre le présent. Rappelez-vous que, pour vous épanouir dans l'amour, le meilleur moment, c'est le moment présent. Si c'est aujourd'hui, si c'est «maintenant» que l'amour frappe à la porte de votre cœur — n'invoquez pas l'excuse qu'il n'arrive pas au bon moment parce que... — ouvrez-lui toute grande cette porte et accueillez-le chaleureusement. Souhaitez-lui la bienvenue et abandonnez-vous au bien-être et au bonheur qu'il vous procure.

En attendant de trouver votre partenaire idéal, vous apprenez:

- À vous aimer et à accroître votre confiance en vous-même.
- À vous apprécier de plus en plus chaque jour en relisant la liste de vos qualités et de vos talents énumérés dans votre autoportrait, dont nous parlerons plus loin.
- À vous remémorer les gentillesses et les compliments qu'on vous a faits par le passé.
- À être moins exigeant et moins critique à l'égard de vous-même, moins perfectionniste. Il vous faut accepter avec indulgence l'être humain imparfait que vous êtes.
- À reconnaître ce qui ne peut être changé en vous. Un homme de 1,65 mètre ne mesurera jamais 1,80 mètre. Une femme qui a une forte ossature ne sera jamais une personne très mince non plus. Ce sont des aspects qu'il faut accepter. Accordez-leur donc dorénavant moins d'importance — vous parviendrez peut-être ainsi à les oublier — en développant habilement l'art de mettre en valeur vos meilleurs atouts.

• *À modifier ce qui peut être changé en vous pour vous aimer davan-tage. Suivez des cours, lisez. Si votre nez vous cause des complexes d'infériorité terribles, faites-le refaire. Contrôlez votre poids de façon à vous plaire à vous-même. Appliquez-vous à réduire vos défauts. Il ne faut pas seulement travailler pour l'avancement de sa carrière, mais également sur soi-même. Cherchez à grandir, à être fier de vos succès. Étudiez, ouvrez-vous au monde. Plus vous vous élèverez, plus vous serez en mesure de vous persuader graduellement que vous méritez quelqu'un de bien. C'est quand on s'aime qu'on est beau. On se sent plus confiant et c'est ainsi qu'on transforme son apparence et qu'on devient de plus en plus beau. Une beauté intérieure émane de la per-sonne qui a confiance en elle et rayonne sur son visage. Pour s'aimer, il importe de se gâter. Il faut se traiter comme un invité de marque, comme un «V.I.P.», comme une altesse.*

• *Si vous vous traitez bien, vous ne pourrez jamais accepter une rela-tion où l'autre vous dévalorise, vous diminue, vous détruit. Dans une relation saine, le partenaire qui vous aime sincèrement vous aide à rehausser votre image de vous-même plutôt que de la dimi-nuer ou même de la démolir.*

Faites votre autoportrait

Avant d'entreprendre une nouvelle relation amoureuse, n'hésitez pas à tracer votre autoportrait. Celui-ci vous permettra de mieux vous connaître et de définir le type de relation que vous souhaitez.

Avant de partir à la recherche du compagnon idéal, il est essentiel de savoir qui l'on est et ce que l'on attend de la vie. Si l'on veut retrouver chez l'autre les qualités désirées, il convient en premier lieu de préciser ce que l'on a à lui offrir. Voilà à quoi vous servira votre autoportrait.

Il vous donnera un aperçu de vos préférences et de vos aversions, de vos échecs et de vos réussites, et contiendra la somme des expériences que vous avez accumulées au cours de vos relations amoureuses antérieures. Les pages suivantes vous aideront dans votre démarche. Cette auto-évaluation est essentielle dans la mesure où elle vous permettra d'établir les bases de votre relation future. Prenez donc le temps nécessaire pour faire une analyse détaillée, honnête et complète de vous-même.

En plus de façonner votre personnalité, vos expériences influencent vos rapports avec les autres. Ce qui n'empêche pas des changements subtils de se produire constamment dans votre attitude et votre comportement. Tenez compte de ce facteur dans votre auto-évaluation. Faites preuve de souplesse et soyez attentif aux changements qui se produisent en vous. Inscrivez la date à laquelle vous faites votre autoportrait pour la première fois et passez-le en revue régulièrement. L'image que vous avez de vous-même se modifiera sans doute avec le temps. Apportez alors les changements qui s'imposent à votre autoportrait afin qu'il reflète le plus fidèlement possible votre nouvelle personnalité, à moins qu'il ne vous faille le redessiner entièrement!

Installez-vous confortablement et, à l'aide d'un stylo et de quelques feuilles de papier, tracez le profil de votre personnalité. Partez à la découverte de vous-même, de ce que vous avez accompli, des endroits que vous avez visités, de ce que vous aimez et de ce que vous détestez, et des rêves qui vous habitent.

Soyez honnête envers vous-même. Analysez votre personnalité telle qu'elle est, sans en oublier les côtés sombres qui donnent du relief à votre caractère. Commencez par votre apparence physique et n'hésitez pas à entrer dans les détails.

- Vos ongles sont-ils propres et bien taillés ou ont-ils l'air d'être rongés et mal entretenus?
- Prenez-vous soin de vos dents ou ne consultez-vous le dentiste qu'en cas d'urgence?
- Vos cheveux sont-ils propres et soyeux?
- Quelle est l'apparence de votre peau? Est-elle sèche? grasse?
- Prenez-vous une douche tous les jours ou seulement à l'occasion?
- Si vous portez une barbe, a-t-elle l'air en broussaille ou est-elle bien taillée?
- Quelle est votre apparence générale? Vous habillez-vous de façon décontractée ou élégamment? Comme une carte de mode ou de manière avant-gardiste?
- Portez-vous des vêtements de couleurs vives et attrayantes ou des vêtements ternes et inexpressifs?
- Suivez-vous la mode même si elle ne vous convient pas?
- Vous habillez-vous en fonction des occasions et des endroits où vous vous rendez ou selon votre humeur du moment, sans tenir compte des circonstances?
- Vos chaussures et vos bottes sont-elles propres et bien cirées ou sont-elles toujours sales et usées?
- Vous assurez-vous qu'il n'y ait pas de tache sur vos vêtements ou qu'il n'y manque aucun bouton?
- Êtes-vous mince ou faites-vous de l'embonpoint?
- Un petit effort – perdre quelques kilos ou changer de coiffure, par exemple – vous aiderait-il à améliorer votre apparence générale?

Une fois terminée la description physique de votre personne, passez en revue les éléments intangibles de votre personnalité.

Avez-vous l'impression que votre personnalité est tributaire de votre passé, de votre famille, de vos enfants, de vos relations actuelles ou antérieures? Si c'est le cas, vous agissez en fonction des autres, contrairement à quelqu'un dont la personnalité s'appuie sur ses talents, ses qualités et ses défauts, sur ses succès personnels et ses échecs, sur ses rêves et ses ambitions. Êtes-vous davantage préoccupé par le souci d'atteindre vos objectifs que par votre bonheur personnel?

- Qu'est-ce qui vous distingue des autres?
- Votre volonté est-elle inébranlable ou vacillante?

- Êtes-vous timide ou avez-vous confiance en vos moyens?
- Êtes-vous quelqu'un de flamboyant ou de réservé?
- Votre attitude mentale est-elle positive ou négative?
- Êtes-vous un suiveur ou un fonceur?
- Avez-vous de la difficulté à aborder les gens ou vous entendez-vous bien avec tout le monde?

Quels sont vos points forts, vos qualités? Ce n'est pas le moment d'être modeste. Soyez sincère; cet exercice ne peut que vous être profitable.

- Dressez la liste de vos habiletés, de vos talents, de vos aptitudes et de vos qualités.
- Êtes-vous quelqu'un de foncièrement honnête?
- Êtes-vous fidèle, fiable, ambitieux, généreux, chaleureux, sympathique, joyeux?
- Êtes-vous toujours de bonne humeur ou continuellement renfrogné?
- Êtes-vous passif et réservé ou une personne pleine d'entrain et qui aime s'amuser?
- Avez-vous des valeurs morales pour vous guider? Faites-vous preuve de respect à votre endroit et à l'endroit des autres?
- Êtes-vous humble ou vantard?

Quels sont vos défauts? Soyez sincère, c'est important!

- Êtes-vous paresseux?
- Êtes-vous égoïste, prétentieux, infidèle?
- Avez-vous l'habitude de mentir ou de tricher?
- Avez-vous de nombreux défauts?
- Êtes-vous désordonné, jaloux, envieux, possessif?
- Avez-vous tendance à trop manger ou à faire des excès?
- Avez-vous l'habitude de critiquer à propos de tout et de rien et de critiquer les autres sans cesse?
- Êtes-vous esclave du sexe opposé?
- Êtes-vous esclave des drogues, de l'alcool, du jeu ou de tout autre vice?

Dressez la liste de vos antécédents familiaux, de votre formation scolaire et de vos origines culturelles.

- Quel est votre niveau de scolarité?
- Suivez-vous des cours du soir pour vous perfectionner?

- Avez-vous l'intention de suivre des cours particuliers afin d'enrichir votre vie? Si tel est le cas, quand comptez-vous commencer?
- Que pouvez-vous faire pour améliorer votre niveau d'instruction?
- Êtes-vous au courant de l'actualité?
- Lisez-vous les journaux et des revues et des livres traitant de divers sujets?
- Avez-vous conscience de votre héritage culturel?
- Avez-vous suffisamment de connaissances sur différents sujets pour pouvoir entretenir divers types de conversation?
- Vos intérêts sont-ils variés?
- Possédez-vous une certaine curiosité intellectuelle?
- Vous considérez-vous comme une personne cultivée?
- Aimez-vous le théâtre, les arts, la sculpture, la musique?
- Participez-vous souvent à des manifestations artistiques ou culturelles?
- Fréquentez-vous les musées?
- Au cours de vos voyages, visitez-vous volontiers des sites archéologiques?
- Parlez-vous d'autres langues ou avez-vous l'intention d'en apprendre de nouvelles?
- Êtes-vous intéressé à découvrir de nouvelles cultures?
- Êtes-vous féru d'histoire ou de géographie?

Passez vos talents en revue. Chacun possède des habiletés particulières.

- Êtes-vous un expert en mécanique?
- Savez-vous dessiner? Possédez-vous des talents artistiques dans l'un ou l'autre de ces domaines: la peinture, la sculpture, la couture, la décoration intérieure, l'artisanat?
- Savez-vous chanter ou jouer d'un instrument de musique?
- Pratiquez-vous des sports?
- Faites-vous du jogging tous les matins?
- Faites-vous du ski tous les week-ends, jouez-vous au tennis ou au golf?
- Avez-vous des talents de cuisinier? Savez-vous préparer des desserts dont tout le monde raffole?
- Savez-vous coudre ou tricoter?
- Avez-vous une passion pour les jeux de société ou les échecs?

Quels sont vos passe-temps préférés?

- Aimez-vous jouer au bridge, au poker ou à tout autre jeu de cartes?

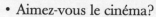

- Aimez-vous le cinéma?
- Aimez-vous écouter de la musique ou aller au théâtre?
- Aimez-vous le camping ou les sports d'intérieur comme le bowling?
- Si vous décidiez d'avoir un nouveau hobby, que choisiriez-vous? Cela ferait-il de vous une personne plus intéressante, plus désirable? Votre vie s'en trouverait-elle enrichie?

Dressez la liste de ce que vous aimez et de ce que vous détestez.

- Nourriture.
- Sports.
- Vacances.
- Passe-temps.
- Aimez-vous la nourriture épicée?
- Êtes-vous végétarien?
- Aimez-vous les vins et les mets raffinés?
- Buvez-vous du café ou du thé?
- Êtes-vous du genre à vous lever tôt ou êtes-vous un oiseau de nuit?
- Avez-vous de nombreuses connaissances ou seulement quelques amis intimes?
- Vous liez-vous facilement d'amitié avec des gens de milieux sociaux et culturels différents?
- Aimez-vous voyager?
- Êtes-vous un touriste conventionnel ou préférez-vous sortir des sentiers battus?

Dressez la liste de ce que vous détestez par-dessus tout.

- Détestez-vous les travaux domestiques en général? Faire à manger? Faire le ménage?
- Détestez-vous la lecture?
- Détestez-vous faire de l'exercice?
- Détestez-vous les gens qui laissent tout traîner?
- Les enfants ont-ils le don de vous exaspérer?
- Êtes-vous allergique à la fumée de cigarette ou aux poils de chat?
- Faites-vous preuve d'intolérance à l'égard des personnes dont les points de vue sont diamétralement opposés aux vôtres?
- Détestez-vous avoir à vous lever tôt?

Mettez par écrit toutes vos petites manies. Elles en disent long sur vous. Essayez de vous observer avec objectivité, comme si c'était quelqu'un d'autre qui traçait votre portrait. Ainsi, votre analyse sera impartiale. Vous avez tout à gagner à être honnête envers vous-même!

Afin de raffiner votre autoportrait, dressez la liste des choses que vous préférez faire tout seul.

Énumérez au moins 15 à 20 activités agréables que vous pouvez faire par vous-même et qui ne coûtent rien ou coûtent moins de 10 $. En vous allouant ainsi un budget personnel, vous n'aurez pas l'excuse de dire que vous ne pouvez vous permettre de loisirs, faute d'argent.

Avez-vous trouvé difficile de réfléchir aux choses que vous aimez faire par vous-même? Combien avez-vous réussi à en trouver? En avez-vous trouvé au moins une? Si votre liste n'est pas assez longue, il serait temps pour vous de trouver des divertissements que vous saurez apprécier même en étant seul. Il est important, quand on est à la recherche d'un partenaire, de pouvoir d'abord être autonome.

Saviez-vous qu'il y a six domaines importants dans la vie?

Ce sont les plans:
- physique (votre état de santé et votre apparence physique);
- spirituel (vos convictions et vos croyances);
- affectif (vos rapports personnels avec les gens qui vous entourent);
- social (les activités que vous aimez faire en compagnie d'autres personnes);
- professionnel (les activités liées à votre travail ou à votre entreprise);
- financier (vos revenus et la façon dont vous gérez votre argent).

Maintenant que vous avez une vue d'ensemble de votre vie, classez les six domaines énumérés ci-dessus par ordre d'importance. Que comptez-vous faire pour améliorer les aspects de votre vie auxquels vous avez accordez une importance moindre?

Évaluez à quel point vous êtes heureux.

Si vous deviez indiquer sur une échelle de 1 à 100 à quel point vous êtes heureux en ce moment, quelle note vous attribueriez-vous? Êtes-vous satisfait de cette évaluation ou souhaiteriez-vous atteindre un niveau plus élevé? N'oubliez pas qu'il n'y a pas de répétition générale dans la vie. Elle se joue pour vrai à chaque instant! Si vous n'êtes pas heureux maintenant, vous ne pouvez pas vous rattraper. La route du bonheur vous attend maintenant, ne passez pas à côté!

Êtes-vous satisfait de votre autoportrait? L'image qu'il donne de vous-même correspond-elle à ce que vous voudriez que les autres perçoivent de vous? Comment pouvez-vous améliorer cette image?

La manière dont vous utilisez chacun de vos sens contribue à créer l'image que les autres se font de vous. Ce que vous voyez, entendez, pensez, dites et ressentez influence votre attitude en plus de former la base de votre personnalité et de ce que les autres perçoivent de vous.

La personne que vous cherchez finira par vous trouver.

Non seulement vos sens contribuent à former l'image que les autres perçoivent de vous, mais ils ont également une influence sur les personnes et les choses que vous attirez. Si vous bombardez constamment votre mental de pensées négatives, vous augmentez les risques d'être malchanceux. Vous vous entourerez de personnes désagréables ou d'événements désagréables et des accidents surviendront parce que votre attitude négative aura été à l'origine de ces circonstances fâcheuses. Faites attention à ce que vous pensez, entendez, dites ou ressentez, parce que tous vos sens ont une influence sur votre vie. Si vous entretenez des pensées et des attitudes enjouées et positives, des événements heureux se produiront autour de vous. Si vous souhaitez vous entourer de personnes affectueuses, aimantes et enthousiastes, vous devez vous imaginer entouré de gens possédant de telles qualités. Ce que vous cherchez se présentera inévitablement à vous. Par conséquent, regardez attentivement au fond de vous!

Vous êtes ce que vous voyez.

La manière dont vous percevez le monde se reflète dans l'image de vous-même que vous renvoyez aux autres. Si vous vous percevez comme une personne laide, vous projetterez inévitablement cette image parce que vous devenez ce que vous croyez voir.

- Plus vous apprendrez à aimer l'image de vous-même que vous renvoie votre miroir, plus vous êtes susceptible d'attirer une personne du sexe opposé qui appréciera également cette image de vous.
- En vous entourant de belles choses, vous vous assurez d'attirer un partenaire qui verra leur beauté et la vôtre!
- Recherchez ce qu'il y a de beau dans tout ce que vous voyez. Remarquez les visages souriants. Recherchez la grâce et la beauté

en vous entourant d'images agréables, stimulantes et radieuses. Tenez-vous loin des images déformées par la haine et la frustration. Évitez les films et les émissions de télévision qui comportent des scènes de violence.

• Votre vie dépend de ce que vous choisissez de voir. Gardez à l'esprit que tout ce que vos yeux regardent alimente vos rêves et votre esprit. Faites-vous plaisir en admirant de magnifiques paysages. Visitez des musées et des galeries d'art, par exemple, ou contemplez de magnifiques couchers et levers de soleil. Servez-vous également de votre vision intérieure pour imaginer des choses agréables.

• Visualisez votre vie de la manière dont vous voulez qu'elle se déroule. Servez-vous de votre esprit comme d'un écran mental sur lequel vous projetterez le film de votre vie, présente et future. Tâchez d'en voir les différents aspects dans leurs moindres détails. Plus vous visionnerez ce film dans votre tête, plus vite vos rêves deviendront réalité!

Vous êtes ce que vous entendez

Vous avez le choix d'écouter des messages positifs ou négatifs. Si vous souhaitez que votre vie soit enrichissante, n'écoutez pas les potins, les discussions, les critiques et les commentaires négatifs. Faites la sourde oreille aux personnes qui vous réprimandent, vous dévalorisent ou se plaignent sans cesse à vous; ne faites pas attention aux propos destinés à vous effrayer ou à vous faire du tort. Écoutez des discours stimulants, des conférenciers qui suscitent en vous une élévation spirituelle, des messages d'espoir, de bonne volonté et d'amour, et votre moi le plus intime en vibrera de joie et de plaisir. La musique n'est pas seulement un langage universel, c'est aussi le langage de l'esprit, du cœur et de l'âme. Quand vous écoutez de la belle musique ou une chanson qui vous rappelle des souvenirs agréables, vous vous mettez en harmonie avec les niveaux les plus élevés de votre être. Tout ce que vous écoutez laisse des traces à l'intérieur de vous et influence vos pensées et vos actions. Si vous ne permettez qu'à des sons enrichissants, accompagnés de propos stimulants et qui inspirent confiance en soi et estime de soi, d'atteindre l'oreille de votre âme, vous réussirez à étouffer les clameurs pessimistes et négatives qui menacent la paix et l'harmonie de votre esprit.

Sans compter que vous parviendrez ainsi à attirer un partenaire qui saura s'adresser à vous de manière à vous faire éprouver des sentiments extraordinaires. Vous vous laisserez charmer par ses doux propos amoureux, et votre amour croîtra à ses côtés.

Vous êtes ce que vous dites.

Si on vous demande comment vous allez, avez-vous l'habitude de répondre: «Pas mal» ou «Comme ci, comme ça»? Qu'est-ce qui vous empêche de répondre: «Je me sens très bien» ou «Je n'ai jamais été aussi bien de ma vie»? Le simple fait de prononcer ces paroles aura sur vous un effet bénéfique. Portez attention aux paroles que vous employez quand vous vous adressez aux autres: elles sont le reflet de l'idée que vous vous faites de vous-même.

- Affirmez-vous. Au lieu de dire faiblement: «J'aimerais...» ou «Si seulement je pouvais...», faites preuve d'assurance en déclarant: «Je veux...» et vous l'obtiendrez!
- Avez-vous l'habitude d'employer des expressions négatives dans votre langage de tous les jours? «Ce repas était bon comme c'est pas possible!» «C'est un vrai péché d'avoir autant de plaisir!» «Elle a un talent incroyable!» Portez-vous attention à ce que vous dites? Votre subconscient, lui, est attentif à vos propos; il enregistre chacune de vos paroles pessimistes. Il ressort, des messages contradictoires qui précèdent, que vous ne croyez pas que telle personne mérite d'avoir un talent extraordinaire, que vous pensez que votre repas était mauvais et que vous vous sentez coupable d'avoir eu du bon temps. Quand vous exprimez ainsi en termes négatifs toutes les bonnes choses qui vous arrivent, vous neutralisez leurs effets bénéfiques.
- Même lorsqu'il est question d'événements de la vie de tous les jours, il est préférable de dire, en parlant par exemple d'un verre de lait, qu'il est à moitié plein que de dire qu'il est à moitié vide.
- Vos paroles se répercutent sur vos actions. Si vous dites: «Je vais essayer», vous échouerez dans 90 p. 100 des cas parce que vous n'aurez pas pris l'engagement de réussir. Vous programmez votre échec en vous concentrant sur l'idée d'essayer plutôt que d'agir. Le même phénomène se produit lorsque vous vous dites: «Il faut que je...» Cette expression implique que vous avez une obligation à remplir ou un travail fastidieux à accomplir. Pas surprenant que la vie soit pour vous un combat de tous les instants! Remplacez ces affirmations négatives par des affirmations positives telles que «C'est pour moi un plaisir de faire...» et vous verrez la différence!
- Si vous dites: «Je ne peux pas», vous n'y arriverez vraisemblablement pas! Pourquoi ne pas vous donner la chance de démontrer que vous pouvez réussir? Vous pourriez être surpris de ce que vous pouvez accomplir!

- Vos paroles devraient vous inspirer et vous donner l'énergie qui transformera votre vie. Prenez l'habitude de formuler vos idées de façon positive. Utilisez le verbe aimer le plus souvent possible tous les jours, en particulier lorsque vous vous adressez à des parents, à des amis et même à votre patron: «J'aime mon travail!» Cela est particulièrement valable lorsque vous êtes en conversation avec celui ou celle qui pourrait bien être votre prochain partenaire. Le seul fait d'utiliser ce mot fera de vous quelqu'un qui aime la vie, donnant ainsi envie à votre futur partenaire de se rapprocher de vous!

- Dites-vous et dites aux gens autour de vous — en particulier à l'être aimé — combien vous êtes heureux et combien ils sont extraordinaires et remplis de talents. Faites naître la passion dans votre entourage par vos propos réconfortants et stimulants. Souriez et vos paroles n'en auront que plus de poids!

- Faites de chacune de vos phrases une incantation qui répandra la magie de l'amour dans votre vie et dans vos rapports avec les autres.

- Le rire ne constitue pas que l'expression d'un bien-être intérieur. Il peut également chasser la tristesse en un clin d'œil; on lui prête même des vertus thérapeutiques. Le rire est un don précieux que vous devriez cultiver.

- La vie devrait être une fête quotidienne, pas un drame perpétuel. Riez de vos petits soucis et ils s'envoleront comme par enchantement.

- Si vous éprouvez de la difficulté à rire, exercez-vous! Développez votre sens de l'humour en vous entourant de personnes, de photos, de tableaux et de sons drôles et amusants. Regardez des films et des émissions comiques; lisez des livres qui vous donneront envie de rire. Commencez votre journée en lisant les bandes dessinées de votre journal. Faites partager votre hilarité aux autres: épinglez des dessins humoristiques sur les murs de votre bureau. Jouez un tour à un ami et riez-en ensemble. Un éclat de rire suffit à remonter le moral. Rien de tel pour la santé qu'un bon rire gras, sans compter qu'il vous rendra la vie plus supportable et rendra vos rapports avec les autres plus agréables.

- Lorsque des difficultés surviennent, l'expression «Dans 10 ans nous allons en rire» prend tout son sens. Si vous observez votre vie de l'extérieur, comme si vous la survoliez du haut des airs, les choses seront beaucoup plus amusantes qu'elles n'en ont l'air quand on est impliqué dans l'action. Comme le dit le proverbe: «Riez et le monde rira avec vous. Pleurez et vous serez tout seul à pleurer.»

- Un autre moyen de profiter des effets bénéfiques de votre voix consiste à chanter, que ce soit sous la douche, dans votre auto, en vous promenant ou même devant vos amis. Vous exprimer par le chant vous mettra de bonne humeur et donnera de vous l'image de quelqu'un de joyeux.
- Si vous savez imprégner vos conversations de votre attitude positive, vous augmenterez vos chances d'attirer un compagnon ou une compagne qui exprimera le même enthousiasme et la même vivacité, et avec qui vous pourrez partager une relation des plus agréables!

Vous êtes ce que vous pensez.

Chacune de vos pensées émet des vibrations autour de vous. Si vous nourrissez vos pensées de compassion, de générosité, de gentillesse et d'amour, vous attirerez des gens qui vous ressemblent. Au lieu de penser à ce qui vous manque et de vous faire du souci pour tout et pour tout un chacun, cultivez l'habitude de la pensée positive! Votre vie en sera radicalement transformée. Les pensées négatives engendrent des catastrophes. Même le processus du vieillissement est accéléré si vous êtes préoccupé par l'idée de vieillir. Si vous pensez que votre petit ami vous trompe, il le fera probablement un jour; vous consacrez tellement d'énergie à entretenir de telles pensées qu'un jour leur influence se fera sentir!

- Afin de toujours être à votre meilleur et de laisser s'exprimer votre vraie nature, concentrez-vous sur le bon côté des choses. Éliminez les pensées négatives. Prenez l'habitude d'être optimiste. Ne gardez que vos plus belles pensées en tête et vous verrez que votre vie changera pour le mieux. Votre vie affective prendra les allures d'un magnifique roman d'amour.
- Nourrissez-vous de pensées positives et stimulantes, surtout avant de vous endormir, car votre subconscient ne prend jamais de repos, lui. Il ruminera ces merveilleuses rêveries toute la nuit et les transformera comme par miracle en réalité le lendemain.
- Vos pensées façonnent votre vie et influencent vos rapports avec autrui. Faites en sorte qu'elles soient judicieuses, audacieuses et magiques!

Vous êtes ce que vous ressentez.

Vos émotions projettent tellement d'énergie qu'elles sont comme des aimants. Les vibrations que vous émettez ont l'effet d'un boomerang; vos attitudes façonnent votre vie.

• Les émotions et les sentiments ont le pouvoir de modifier la réalité. Si vous avez peur de tomber, vous allez probablement tomber. Si vous craignez de perdre votre partenaire, vous le perdrez à coup sûr! Si vous vous sentez coupable alors que vous n'avez aucune raison de l'être, vous ne faites que vous dévaloriser et les autres vous percevront comme un perdant. Vos craintes et vos émotions négatives sont des forces destructrices qui vous empêchent d'avancer dans la vie. Évitez par conséquent de donner refuge à ces mauvaises émotions: elles nuisent à votre évolution personnelle et à la progression de vos rapports amoureux.

• Pour rayonner autour de vous, vous devez vous sentir bien dans votre peau et aimer la vie. Une telle attitude vous permettra selon toute probabilité d'attirer un partenaire qui se sentira également bien dans sa peau et bien avec vous. Vos croyances et vos convictions constituent votre raison d'être et la base de votre vie. Faites donc de votre vie affective un monde d'exquise passion remplie d'amour!

Décidez du genre de relation que vous désirez à ce moment-ci de votre vie.

À quelle étape de votre vie en êtes-vous? Êtes-vous prêt à vivre une relation amoureuse? Prenez quelques instants pour réfléchir à vos relations précédentes. Y décelez-vous certains *patterns*? Établissez-vous toujours le même type de relation avec le même type de personnes? Par honnêteté envers vous-même et envers l'autre, il est temps à présent que vous déterminiez précisément ce que vous attendez d'une relation.

À quoi vos relations précédentes ressemblaient-elles?

En définissant le type de relation que vous recherchez, prenez soin d'examiner vos relations précédentes et de les analyser attentivement. Servez-vous du tableau ci-dessous comme point de repère et établissez un tableau semblable qui vous permettra de faire des comparaisons appropriées.

• Réservez une colonne pour chacun de vos partenaires antérieurs et inscrivez leurs noms respectifs au haut de chaque colonne. Puis répondez aux questions qui suivent.

Mes patterns amoureux

• Quelles qualités communes mes partenaires antérieurs avaient-ils?
• Quels sont les éléments positifs qui ont fait que j'ai poursuivi ces relations?

- Quels défauts et qualités communs mes partenaires précédents avaient-ils?
- Quels sont les aspects négatifs de ces relations qui ont fait qu'elles se sont détériorées?
- Quelle a été ma capacité d'engagement dans ces relations?
- Quelle a été la capacité d'engagement de mes partenaires?
- Quels sont les traits de ma personnalité qui ont fait que j'ai poursuivi des relations qui allaient mal?
  - dépendance
  - insécurité
  - codépendance
  - culpabilité
  - sens des responsabilités
- Quelle a été la durée de chacune de ces relations?
- Est-ce pour des raisons de dépendance financière que j'ai poursuivi ces relations?
- Qui a rompu?
- Qu'est-ce qui a motivé chaque rupture?
- Combien de temps m'a-t-il fallu pour récupérer après chaque rupture?
- Quels sont les reproches que je faisais à mes partenaires?
- Mes partenaires avaient-ils des dépendances?
- Mes partenaires étaient-ils infidèles, violents, égocentriques?
- Ai-je voulu les changer?
- Ont-ils voulu me changer?
- Qui contrôlait l'autre?
- Ces relations furent-elles valorisantes pour moi?
- Est-ce que j'ai joué à un jeu?
- Analysez vos réponses pour déterminer si vous avez développé des *patterns* amoureux. Voyez-vous un *pattern* positif ou négatif se dessiner? S'il semble être positif et que vos relations aient été relativement heureuses, continuez dans le même sens. Mais si votre *pattern* ne vous dit rien de bon, si vous êtes insatisfait de vos relations précédentes et du type de personnes que vous fréquentez habituellement, il est grand temps de commencer à fréquenter des personnes différentes, qui désirent le même type de relation que vous et qui éprouvent à votre égard le même genre de sentiments que vous éprouvez envers elles.

Ma plus récente relation amoureuse

- Depuis combien de temps la relation est-elle terminée?
- M'en suis-je entièrement remis?
- Si non, à quelle étape de mon processus de guérison en suis-je?
- Suis-je en mesure d'entreprendre une nouvelle relation?

Autres questions relatives à vos relations antérieures qui sont susceptibles de vous aider à définir clairement le type de relation que vous recherchez.

- Venez-vous juste de rompre?
- Combien de temps votre dernière relation a-t-elle duré?
- Depuis combien de temps est-elle terminée?
- Vous êtes-vous remis de cette rupture? Ne cherchez pas à fréquenter sérieusement quelqu'un si vous êtes encore sous le coup d'une déception amoureuse. Il est préférable de sortir avec un bon copain en pareil cas.
- Avez-vous la volonté nécessaire pour établir une relation stable?
- Recherchez-vous une amitié sans contrainte ou un engagement sérieux?
- Jusqu'où êtes-vous prêt à aller?
- Avez-vous envie d'une passion amoureuse?
- Souhaitez-vous une relation significative et durable?
- Avez-vous simplement envie d'une relation amicale?

Soyez précis! Il vous faut découvrir quelqu'un qui souhaite le même genre de relation que vous. Le succès de votre prochaine relation dépend donc de votre honnêteté envers vous-même et envers les autres, ainsi que de votre capacité d'exprimer ce que vous recherchez chez un éventuel partenaire et ce que vous attendez de lui.

Les premières rencontres

Chapitre premier

1001 TRUCS AMUSANTS POUR RENCONTRER QUELQU'UN À COUP SÛR

Certaines gens sont capables d'approcher n'importe quelle personne, de n'importe quel âge, et d'entamer une conversation sans effort apparent! Mais plusieurs sont intimidés à l'idée de rencontrer des gens, de leur parler et de leur faire bonne impression. Aller à une fête où vous ne connaissez personne? Quelle torture! Par contre, si vous n'acceptez pas les invitations sociales qu'on vous lance, comment arriverez-vous à rencontrer des personnes du sexe opposé?

Ce chapitre, pour les célibataires du monde entier, vous aidera à acquérir l'assurance et la confiance nécessaires lorsque vous rencontrerez des gens au hasard ou lors d'événements sociaux. Vous apprendrez des stratégies créatrices pour initier des rencontres heureuses et des conversations intéressantes, pour maintenir l'intérêt et pour repartir gagnants.

«1001 trucs amusant pour rencontrer quelqu'un à coup sûr» vous révèle tous les petits secrets sur la façon de faire le premier pas (le plus important), d'approcher des gens du sexe opposé, et sur les paroles et les gestes appropriés une fois que vous les avez rencontrés. Ces renseignements mis à jour, combinés à des stratégies d'une grande efficacité, à des façons véritables de briser la glace, ainsi qu'à des anecdotes tirées de la vie réelle, transformeront les timides en papillons!

Quel que soit le genre de vie sociale que vous vivez, ce chapitre vous sera d'une grande utilité. Ces petits secrets intrigants et efficaces vous révéleront maintes nouvelles façons – ainsi que les endroits les plus propices – de rencontrer ce partenaire idéal dont vous rêvez!

Vous rencontrez peut-être déjà une foule de gens, mais sont-ils du sexe opposé? Sont-ils compatibles avec vous? Avez-vous l'habitude de rencontrer des gens intéressants, ou plutôt des personnes qui ne sont pas de votre genre? Savez-vous comment parler aux gens de façon à ce qu'ils s'intéressent à VOUS? Ce livre vous aidera à prospecter une mine de possibilités de rencontres fascinantes, et en plus, il vous fournira des techniques qui vous permettront de discerner les candidats qui VOUS conviennent! Ne serait-il pas incroyable de pouvoir développer des relations enrichissantes qui pourraient éventuellement vous mener à découvrir l'amour véritable? Il vous suffit de lire ce livre pour découvrir la route vers une merveilleuse idylle, vers VOTRE extraordinaire histoire d'amour!

Apprenez à développer une stratégie amoureuse avec laquelle vous vous sentirez à l'aise.

Ce chapitre suggère une multitude de moyens vous permettant de rencontrer des personnes du sexe opposé. Plusieurs de ces moyens conviendront à votre personnalité, tandis que certains autres, moins. Par exemple, deux amies de Céline ont connu beaucoup de succès après avoir placé des petites annonces dans un grand quotidien. Céline, également désireuse de se faire un nouveau copain et fortement encouragée par ses deux amies, composa un texte et plaça, elle aussi, une annonce.

En moins d'une semaine, elle reçut un volumineux courrier de 56 lettres. Elle n'en crut pas ses yeux et trouva étourdissant d'avoir à lire autant de lettres d'hommes de toutes sortes. Elle procéda enfin à une sélection de 10 candidats mais, lorsque vint le temps de communiquer avec ces inconnus et de se présenter à eux au téléphone, elle resta figée par l'angoisse, se sentit tout à fait paralysée et se retrouva finalement incapable de poursuivre plus loin sa démarche, au point qu'elle décida de l'abandonner!

Bien qu'elle ait été prête à rencontrer un partenaire potentiel, Céline s'est sentie très mal à l'aise d'avoir eu recours à la stratégie des annonces classées. Conséquemment, il lui a fallu faire appel à des méthodes différentes pour atteindre son but. Ce livre en offre toute une panoplie. Il vous explique comment développer une quantité innombrable de stratégies amoureuses avec lesquelles vous serez à l'aise.

De son côté, Céline se sentira peut-être plus décontractée à l'idée de rencontrer un partenaire en faisant appel aux services d'une agence de rencontre, en allant danser, en s'adressant à quelqu'un dans une file d'attente ou à la blanchisserie, ou encore en utilisant d'autres trucs qui correspondent davantage à sa personnalité. Il existe des gens assez extravagants pour annoncer publiquement leur amour pour l'autre sur un grand panneau publicitaire en plein cœur de la ville, tandis que d'autres, eux, éprouvent de la difficulté à la simple idée de remettre leur carte d'affaires ou de visite à quelqu'un tellement ils sont timides et réservés.

Prenez conscience du style qui vous sied le mieux et mettez-le en pratique. Choisissez en priorité les méthodes d'approche avec lesquelles vous vous sentez le plus à l'aise. Identifiez également les situations qui vous posent des problèmes et analysez-les de manière objective afin de mieux les surmonter lorsqu'elles surviendront à nouveau. Votre objectif premier est l'élaboration d'une méthode qui respire l'aisance, une méthode originale qui est faite à votre mesure et qui reflète avec bonheur vos sentiments, vos réflexions et la personne que vous êtes.

Vous devez donc choisir pour vous-même des stratégies amoureuses sur mesure, composées de différents moyens qui vous conviennent et qui cadrent bien avec vos objectifs de vie.

En utilisant plusieurs moyens pour rencontrer des gens, vous multipliez vos chances de trouver le partenaire idéal.

En d'autres mots, il s'agit de ne pas mettre tous vos œufs dans le même panier. Procédez comme un investisseur; constituez-vous un portefeuille de partenaires possibles et diversifiez les tactiques que vous utiliserez pour aborder l'un ou l'autre d'entre eux dans telle ou telle circonstance et faire plus ample connaissance.

Vous devez choisir les techniques d'approche les plus efficaces pour les mettre à l'épreuve tout en laissant la porte bien ouverte à d'autres options possibles. Il est important d'expérimenter toutes les techniques au moins une fois afin de découvrir lesquelles sont les plus efficaces pour vous et d'en arriver à vous sentir «confortable» dans un maximum de situations où vous vous retrouverez face à des partenaires du sexe opposé.

La meilleure façon de diversifier vos moyens de rencontrer quelqu'un, c'est d'en cultiver plusieurs. En plus de votre milieu de travail, il y a vos sorties, bien sûr. Allez aux cocktails, au théâtre et ne vous contentez pas de répondre aux petites annonces. Diversifiez vos activités, rencontrez le plus de gens possible afin d'avoir le plus vaste choix possible de partenaires.

Développez l'art de rencontrer des gens, étape par étape.

Savoir rencontrer des gens est un talent qui se développe. La réussite sociale est un savoir-faire qui s'apprend et se cultive. L'habileté à rencontrer des gens n'est pas nécessairement innée et il ne faut pas s'attendre à y exceller du jour au lendemain. Vous devez acquérir une compétence pour réussir pleinement vos relations interpersonnelles.

On peut naître avec le talent d'un peintre et se contenter de faire des petits dessins toute sa vie. On peut aussi décider d'accomplir quelque chose d'important avec son talent: on suit alors des cours, on dessine tous les jours, on met en application une foule de techniques artistiques, on s'améliore de plus en plus et, pourquoi pas, on devient enfin un professionnel! Il en va de même pour le chant, la danse et les autres arts qui exigent tous, d'abord et avant tout, de la technique et de la pratique. Plus on s'entraîne à rencontrer des gens, mieux on réussit dans ce domaine, surtout si on s'applique à utiliser une foule de trucs qui ont déjà fait leurs preuves. On peut devenir expert dans l'art des relations humaines en expérimentant les trucs décrits dans ce livre.

Il n'existe pas de «recette magique» ou de véritable mode d'emploi pour réussir chacune de vos relations interpersonnelles. Le processus à suivre consiste principalement à consacrer le temps qu'il faut pour cultiver, pratiquer et maîtriser les techniques d'approche qui correspondent le mieux à votre nature. Vous devez éprouver du plaisir, bien sûr, à atteindre votre but, sans vous imposer de pression.

Si, par exemple, votre but est de vous marier, évitez d'accorder de façon obsessive toute votre attention à ce seul point. Si vous n'avez en tête que ce seul et unique objectif, vous risquez fort de gâter irrémédiablement la relation à long terme que vous envisagez avec votre partenaire. Prenez le temps nécessaire pour bien découvrir l'autre et de faire connaissance avec lui, d'autant plus que le mariage constitue un objectif de vie important. Le plaisir de la découverte doit se déguster lentement... sans précipitation! Ceux et celles qui ont pour but de se marier gagneraient à ne pas mettre immédiatement sur la table leur obsession du mariage...

Prenez le contrôle de votre vie.

Il est vrai que le hasard existe, mais il est bon de l'aider à bien faire les choses pour nous. Provoquez les occasions! Par exemple, acceptez d'aller à des fêtes, même (et surtout!) si vous y connaissez peu de monde. Vous y rencontrerez forcément d'autres personnes disponibles comme vous, et vous pourriez très bien y découvrir un partenaire potentiel. Restez donc ouvert à tous les événements et à toutes les activités qui s'offrent à vous. Ne mettez pas tous vos œufs dans le même panier en vous fiant uniquement à votre agence de rencontre, par exemple. Soyez disponible à toutes les occasions que la vie vous offre de rencontrer des gens.

Déterminez le temps que vous désirez consacrer à la recherche du partenaire idéal.

Combien de temps et d'efforts êtes-vous prêt à investir chaque jour, chaque semaine ou chaque mois à la recherche d'un partenaire amoureux? Pensez-y! Plus vous y consacrez de temps, plus vous avez de chances de parvenir à vos fins dans les délais les plus courts. La recherche d'un partenaire peut se comparer à la recherche d'un emploi: il faut multiplier ses chances... Pour trouver un nouveau boulot, combien de *curriculum vitæ* mettriez-vous à la poste toutes les semaines? La recherche d'un partenaire exige que vous y consacriez temps et efforts. Pouvez-vous y passer deux soirées par semaine? Une heure par jour? À vous de décider... Si la recherche d'un partenaire vous tient vraiment à cœur, vous ne serez pas tenté d'utiliser l'excuse classique: «Je n'ai pas le temps...»

Allouez-vous un budget, hebdomadaire ou mensuel, pour sortir et rencontrer des gens.

Il ne s'agit pas nécessairement d'investir des sommes astronomiques dans la recherche d'un partenaire, mais il reste qu'il y a beaucoup de détails qu'il faut prendre en considération, notamment les coûts de l'habillement, du coiffeur, etc. Vous devez disposer d'un budget pour aller au restaurant, recevoir des amis à la maison, aller au théâtre ou au cinéma, prendre un verre, etc. Évidemment, il y a une condition *sine qua non* à la rencontre d'un partenaire: il faut sortir!

«Allez chasser l'orignal dans la forêt où il se trouve...»

Souvent, hommes et femmes ont tendance à aller dans les endroits où ils se sentent à l'aise... des endroits, toutefois, où les hommes vont surtout rencontrer d'autres hommes et les femmes, retrouver d'autres femmes.

Mesdames, si vous souhaitez rencontrer des hommes, rendez-vous là où les hommes se tiennent! Qu'une femme seule aille prendre un cours de mécanique automobile et il y a fort à parier qu'elle ne va pas rester seule très longtemps. Vous, mes-demoiselles, devriez prendre des cours de judo, de karaté, de pilotage, de parachutisme, ou vous intéresser à toute autre dis-cipline réservée en général aux hommes. Et vous, messieurs, allez suivre des cours de cuisine, de massage, de danse aéro-bique, d'art floral, de décoration intérieure, etc.

Choisissez tout de même vos sphères d'activités par goût ou par passion, et non simplement dans l'espoir de rencontrer un partenaire. Joignez toujours l'utile à l'agréable...

Apprenez à faire le premier pas.

Osez! Prenez des risques! Dans le passé, les coutumes dictaient à l'homme de faire les premiers pas, la femme se retrouvant par conséquent dans une position passive. Elle devait attendre d'être choisie, pour ne pas choquer les gens qui voyaient d'un mauvais œil qu'une femme fasse des avances à un homme qui lui plaisait.

Heureusement, aujourd'hui, les attitudes ont changé. La femme est aussi libre que l'homme de choisir son partenaire et donc de faire le premier pas. Elle peut d'ailleurs le faire avec sub-tilité, avec sensibilité, avec classe et avec élégance. Mademoiselle, vous êtes gênée d'inviter cet homme? Observez-le et découvrez en quoi il excelle. Voyez ce qui l'intéresse. S'il connaît bien les chaînes stéréo, demandez-lui, par exemple, de vous accompagner pour vous aider à en choisir une. C'est une «sortie déguisée» qui vous permettra de mieux le connaître et d'observer son com-portement à votre égard ainsi que l'intérêt qu'il vous manifeste.

Lorsque vous aurez 85 ans, dans votre chaise berçante, voudrez-vous vous rappeler avec satisfaction des succès que vous avez obtenus grâce aux risques que vous avez osé prendre ou regretter avec amertume les occasions que vous avez ratées à cause des risques que vous n'avez pas pris?

Apprenez donc à faire le premier pas. On peut vous répon-dre par un «oui» ou par un «non», peu importe. L'essentiel est de persévérer et de continuer à «jouer le jeu»! Plus vous essayez, plus vous multipliez vos chances de gagner! Si vous restez à ne rien faire, rien d'intéressant ne vous arrivera, à moins d'un miracle...

Donnez-vous du temps, disons une période d'un an pendant laquelle vous essayerez de rencontrer, en moyenne, deux nouveaux partenaires potentiels par mois.

Ainsi, vous aurez le temps d'«interviewer» 24 personnes, ce qui vous permettra de faire de multiples comparaisons, d'effectuer une sélection judicieuse et de ne pas entrer de manière irréfléchie dans la première relation venue, une relation probablement incompatible avec les 5 à 10 critères essentiels que vous souhaitez retrouver chez le conjoint idéal. Souvenez-vous que si les qualités «souhaitables» chez un partenaire restent négociables, les critères «essentiels», eux, ne le sont pas. Gardez donc les yeux bien ouverts.

Si c'est l'hiver et que vous souhaitez faire l'acquisition d'une voiture neuve au printemps, vous commencez votre recherche à l'avance et vous visitez différents concessionnaires pour faire le choix le plus judicieux possible. Vous regardez divers modèles, étudiez une variété de marques, comparez les prix, en somme vous prenez votre temps pour bien faire le tour des possibilités qui s'offrent à vous. Vous ne choisirez pas une voiture uniquement pour sa superbe carrosserie ou ses merveilleux enjoliveurs de roues. Vous considérerez plus d'un aspect: son niveau de performance et de sécurité, la qualité et la garantie des diverses pièces, sans oublier la somme dont vous disposez pour en faire l'acquisition.

Or pour le choix d'un partenaire, prendre son temps est évidemment d'une importance supérieure au choix d'une voiture, surtout si l'on recherche une relation qui durera la vie entière! Il faut donc prendre tout son temps et faire du temps son allié.

Un dernier conseil, en passant: sachez établir l'ordre de vos priorités et ne soyez pas de ceux qui privilégient la voiture au détriment du partenaire!

Devenez «visible». Il est très important pour la réussite de votre projet de cesser d'être «invisible».

Sortez de chez vous! Pourquoi tant de personnes libres, intelligentes, amusantes et de belle apparence restent seules à la maison le samedi soir à regarder la télévision, en compagnie de leur sac de maïs soufflé, après un dîner en tête-à-tête avec une tasse de soupe et une portion individuelle de repas congelé? Sortez! Faites-vous voir!

Pendant vos activités quotidiennes, regardez autour de vous.

Utilisez votre environnement de façon constructive pour vous permettre de rencontrer le plus de gens possible. Gardez les yeux bien ouverts de manière à ne pas laisser échapper à votre regard quelqu'un qui vous plaît. Soyez alerte et agissez de façon à faire promptement sa connaissance. Quelles activités faites-vous quotidiennement? Vous allez à la blanchisserie, au supermarché, à la pharmacie, à l'épicerie... Vous prenez l'autobus, le métro, le train, bref, autant d'endroits où il vous est possible de croiser des gens.

Intervertissez les jours et les heures où vous vous rendez à tel ou tel endroit; n'allez pas toujours à l'épicerie le jeudi soir, allez-y parfois le samedi matin ou le dimanche après-midi. Vous y découvrirez des visages différents. Faites de même à la banque, au bureau de poste, au restaurant, etc. Exposez-vous à rencontrer le plus grand nombre de gens possible. Amusez-vous à élaborer une liste de candidats potentiels dans votre entourage immédiat: le milieu de travail, le voisinage. N'oubliez pas ceux que vous n'aviez peut-être jamais considérés auparavant ou à qui vous n'avez peut-être jamais osé manifester votre intérêt parce que vous étiez trop timide ou gêné. À partir de maintenant, osez! Faites le premier pas!

Un célibataire doit se faire remarquer. Pour attirer l'attention, ayez un objet qui pique la curiosité des gens et qui fait jaser.

L'objet qui intrigue, qui fait parler, qui attire l'attention, fait en sorte qu'on vous remarque et que vous êtes plus accessible, plus facile à aborder. C'est un objet qui permet qu'une conversation débute et qu'elle se poursuive. C'est un objet de bon goût, qui démontre du bon sens et de l'imagination. Par exemple: Lui: «Ah! je vois que vous lisez *Ces femmes qui aiment trop.*» Elle: «C'est un excellent livre, l'avez-vous lu?» Lui: «Non, j'aimerais que vous m'en parliez.» Vous pouvez aussi vous installer dans un parc achalandé avec un télescope, de préférence le soir, pour admirer les étoiles; vous attirerez ainsi les curieux qui s'intéresseront à vous et à votre loisir.

Une fois que la conversation est amorcée au sujet de l'objet qui a piqué la curiosité, continuez l'échange sur un ton amical, léger et plaisant. De même, remarquez chez les autres les objets originaux et profitez-en pour entreprendre une conversation.

Portez une chemise criarde, une cravate inusitée, une broche insolite, un tee-shirt amusant, bref, quelque chose que les gens vont remarquer. Certains viendront vous parler de ce «gadget» que vous portez. Ils voudront savoir où vous l'avez acheté et, le plus naturellement du monde, vous engagerez une conversation qui ne vous obligera pas à parler de vous dès la première rencontre, si cela vous gêne. Si vous portez un objet hétéroclite, assurez-vous qu'il soit assez gros pour qu'on le remarque, même depuis le fond d'une pièce où il y a beaucoup de monde, lors d'une réception, par exemple.

Assoyez-vous dans un bar, un café ou un parc avec une brochure sur un sujet qui pique la curiosité ou avec un ouvrage au titre provocateur. Lisez par exemple des dépliants de voyages sur la Polynésie française ou sur la Thaïlande. Vous attirerez ainsi l'attention, on vous trouvera intrigant et on viendra peut-être vous parler de vos lectures. Et sur la plage, quoi de plus naturel que de lire un bon livre, encore une fois au titre provocateur, bien sûr, comme par exemple *1001 stratégies amoureuses*. Ne restez pas le nez plongé dans les pages de votre livre. Promenez votre regard de temps en temps afin de vérifier si on vous regarde ou encore pour voir s'il se trouve quelqu'un d'intéressant à l'horizon. Si une personne semble intriguée par votre présence ou vos lectures, souriez-lui d'une façon sympathique et invitante.

Le célibataire doit donc s'appliquer à trouver des bricoles originales, des «trucs» farfelus afin qu'on le remarque, sans que

ce soit déplacé pour autant... Il doit se montrer imaginatif,
voire même créatif!

**Avant d'entreprendre votre recherche du partenaire idéal,
assurez-vous d'être psychologiquement, émotivement et
financièrement autonome.**

Ainsi, vous éviterez de vous embarquer dans une relation
de dépendance et vous serez sûr de vouloir rencontrer
quelqu'un pour des raisons valables. Ne cherchez pas
quelqu'un pour qu'il soit votre «plat principal», soyez vous-
même votre propre «plat de résistance». Recherchez votre
partenaire plutôt à titre de «dessert», de glaçage sur le gâteau.
Votre partenaire doit être le délicieux couronnement du festin
de votre existence... Votre vie vous appartient, prenez-la en
main. En devenant autonome, vous enrichissez à la fois votre
vie et celle que vous partagerez avec quelqu'un d'autre.
N'accusez pas l'autre d'être responsable de tout ce qui va mal
dans votre vie alors que vous ne faites rien pour vous-même.
Ne reprochez pas à l'autre de ne pas vous donner ce que vous
voulez. Procurez-vous-le vous-même.

Un compagnon qui est un «dessert», c'est un partenaire
qui représente un luxe agréable dans la vie déjà remplie et
satisfaisante d'une personne active, équilibrée et complète.
Lorsque nous sommes autonomes, nous pouvons choisir un
partenaire sans pour autant renoncer à ce que nous sommes.
Chaque être humain est une personne à part entière et, de
nos jours, l'expression «douce moitié» est plutôt révolue. Il est
bon de rencontrer quelqu'un avec qui on peut partager sa vie,
mais il ne faut pas que cette personne devienne «toute» notre
vie.

**Dites «Bonjour» à plusieurs personnes chaque jour. Parlez
à tout le monde; n'ayez pas peur de saluer les gens.**

Lorsque vous croisez quelqu'un dans la rue ou dans un
parc, faites un signe de tête et dites «Bonjour». En entrant dans
un ascenseur, dites «Bonjour» aux 10 personnes qui sont déjà

là. Selon les statistiques, dans les grands centres urbains, chacun croise en moyenne 100 personnes par jour. Et l'on sait que les métropoles sont des endroits propices à des rapports interpersonnels souvent anonymes. Bon nombre de gens vaquent à leurs occupations sans considération aucune pour leur environnement humain. Il importe de modifier votre comportement et votre mentalité de «chacun pour soi».

Il faut oser! Ne craignez pas le ridicule. Sortez de votre coquille! Vous pouvez décider d'offrir à un inconnu un sourire inattendu, une salutation polie ou les deux à la fois. Surtout, ne vous restreignez pas aux gens du même sexe et du même âge que vous ou aux modèles qui rassemblent tous les attributs de beauté, de charme et de séduction du partenaire idéal. Il serait mieux et plus convenable de saluer tout le monde, même les grands-mères car, qui sait, elles ont peut-être un petit-fils ou une petite-fille qu'elles pourraient vous présenter. En résumé, évitez de saluer uniquement les gens qui ont une apparence particulière ou de vous limiter à une seule catégorie de personnes.

Dire «Bonjour» deviendra ainsi pour vous une seconde nature. Lorsque surgira le partenaire de vos rêves, lui dire «Bonjour» ne sera plus du tout traumatisant. Dites-le de façon détendue, plaisante et faites-en une habitude de vie.

Petite suggestion amusante: lors d'une sortie, organisez avec vos copains et copines un concours dont le vainqueur sera celui qui réussira à dire «Bonjour» au plus grand nombre de personnes dans la soirée.

Développez l'art d'engager la conversation avec plusieurs personnes.

Quelquefois, quand on rencontre une personne vraiment à son goût, on perd tous ses moyens, on n'est soudain plus capable de parler, on bégaye, on ne trouve rien à dire, on fait des gaffes ou encore on devient totalement muet parce qu'on est paralysé par le trac. Développez l'art d'initier la conversation avec plusieurs personnes, de tous les âges, de genres différents, des deux sexes et ce, sans vous limiter aux gens qui vous ressemblent. Pratiquez l'art de la conversation avec tout le monde, ce qui ne peut que vous rendre meilleur, plus habile. Lorsque vous ferez la rencontre d'une personne qui vous intéressera, vous serez devenu plus à l'aise pour dialoguer, grâce à l'expérience et à l'habitude.

Cette initiative peut sembler terrifiante, surtout lorsqu'il s'agit de parler à une personne qui vous plaît beaucoup. Dites-vous qu'il est normal d'avoir le trac, de sentir des «papillons» dans l'estomac comme à votre premier jour à l'école ou à un nouvel emploi. Pourtant, malgré vos peurs, vous vous êtes un jour rendu à l'école. Vous vous êtes aussi présenté chez votre nouvel employeur. Rappelez-vous que les étrangers demeurent des étrangers jusqu'au moment où vous les rencontrez, et que tous les amis que vous avez aujourd'hui furent un jour des étrangers pour vous.

La meilleure façon de vaincre votre trac est de commencer à échanger des propos avec des gens qui vous semblent plus faciles d'approche. Abordez-les en disant «Bonjour», même à ceux que vous n'entrevoyez pas comme des amoureux potentiels. Soyez inventif. Faites-leur un compliment sur un élément de leur tenue vestimentaire et poursuivez en demandant où l'on peut se procurer un item aussi joli, et aussi original, pour vous-même ou votre frère.

Développez l'art de «l'entretien bref». Établissez la durée d'une première conversation dès le début, disons à environ 10 minutes.

Lorsque vous entamez pour la première fois une conversation avec quelqu'un qui vous plaît, évitez de penser en fonction du «reste de la soirée» ou du «reste de ma vie». Dites-lui, en l'approchant au cours d'une soirée, par exemple: «Nous n'avons pas encore été présentés l'un à l'autre. Pouvons-nous prendre quelques minutes pour faire connaissance?»

Lorsqu'on établit une limite de temps — 10 minutes, par exemple — pour une première conversation, on a moins de raisons d'être nerveux et on a ainsi plus de chances d'établir un dialogue aisé. Une fois les 10 minutes écoulées, remerciez la personne du temps qu'elle vous a consacré et prenez congé poliment. Si votre interlocuteur s'intéresse à vous, vous le laisserez ainsi sur son appétit d'en connaître davantage à votre sujet. Il trouvera probablement le moyen de revenir à la charge pour satisfaire sa curiosité.

Par contre, si votre partenaire vous paraît indifférent et ne semble pas manifester d'enthousiasme à votre égard, le fait d'avoir précisé dès le départ que vous souhaitiez un court entretien diminue les risques de vous voir rejeté. Vous pouvez alors vous esquiver avec dignité puisque vous avez déjà une raison de vous retirer dès que bon vous semble.

Un petit exemple: Suzette se retrouve seule à un cocktail. Il y a beaucoup de monde et elle désire faire le maximum de rencontres. La meilleure façon pour elle d'atteindre son but, c'est d'avoir des entretiens brefs avec plusieurs personnes plutôt que de longues conversations avec seulement deux ou trois. Elle peut s'approcher de quelqu'un et se présenter: «Bonjour, mon nom est Suzette. J'aimerais faire votre connaissance et parler avec vous quelques minutes.» Au bout de cinq minutes, elle conclut: «Ça m'a fait plaisir de faire votre connaissance et j'espère que nous aurons l'occasion de nous reparler un peu plus tard dans la soirée...»

Apprenez à parler de tout et de rien.

Lors d'une première conversation avec quelqu'un, il est préférable de ne pas s'aventurer tout de suite dans des sujets trop profonds, très scientifiques ou hautement intellectuels. Sans tomber dans des banalités relevant de la pluie et du beau temps, faites tourner la conversation sur une variété de sujets légers et humoristiques. Parler de tout et de rien est un art en soi. Il n'est pas nécessaire d'aborder une personne en tentant de l'épater avec des discours philosophiques ou scientifiques, puisque notre quotidien abonde en anecdotes divertissantes ou autres sujets de conversation agréables.

Dans un cocktail, on peut s'entretenir, par exemple, de l'endroit où se tient l'événement, de la nourriture, de la décoration, de l'ambiance, de la musique ou de l'occasion qu'on célèbre, de même que de l'actualité ou encore d'un thème universel dont tout le monde peut parler. Rappelez-vous que deux personnes qui se rencontrent au même endroit ont toujours quelque chose en commun. Au cinéma, c'est le film. À la bibliothèque, ce sont les livres. À l'université, les cours. Voilà déjà de bons sujets qui peuvent servir d'amorce à une conversation.

Apprenez non seulement à entreprendre, mais aussi à poursuivre une conversation, notamment en posant des questions de la bonne façon.

Ne posez pas des questions auxquelles l'autre peut répondre simplement par un «oui» ou un «non». Demandez-lui plutôt une opinion, un avis ou des commentaires sur un sujet donné. Si vous demandez: «Tu as vu le film *Farinelli*?» «Oui.» «Est-ce que tu l'as aimé?» La réponse, bien évidemment, sera «oui» ou «non». Cependant, si vous demandez: «Qu'est-ce que tu as pensé de ce film?», la personne se verra obligée de s'exprimer par une phrase ou deux qui vous permettront d'enchaîner la conversation.

Il est essentiel de poser les questions de la bonne façon, mais il est tout aussi important de bien écouter les réponses de l'autre. Certaines personnes qui ont préparé à l'avance une série de questions sont tellement préoccupées de se rappeler de leur question suivante qu'elles ont une fâcheuse tendance à ne pas écouter les réponses de leur interlocuteur. Pourtant, ce sont les réponses de l'autre qui refléteront son essence, qui vous révéleront le genre de personne qu'il est et qui vous permettront de vous rapprocher de lui et de mieux le connaître.

Multipliez vos sujets de conversation en lisant beaucoup d'articles courts publiés dans divers magazines d'intérêt général. Intéressez-vous aux publications s'adressant au sexe opposé.

Touchez un peu à tout en consultant des périodiques à caractère général tels que *National Geographic*, *Sélection du Reader's Digest* ou encore *Paris Match*, *L'Express*, *L'actualité*. La plupart de ces magazines s'adressent à toutes les catégories de lecteurs, tant aux hommes qu'aux femmes. La section des magazines et des journaux de votre bibliothèque municipale constitue une source intarissable de sujets de conversation.

Vous, messieurs, gagneriez à lire des revues comme *Elle, Marie Claire* ou *Vogue,* qui traitent de sujets qui intéressent le sexe féminin. Lorsque l'occasion se présentera, vous serez plus informés et plus intéressants pour les femmes que vous rencontrerez puisque vous serez en mesure de discuter avec elles de sujets qui les touchent de près.

Quant à vous, mesdames, vous pouvez rechercher certaines publications que lisent plus spécifiquement les hommes, notamment les magazines de sports, de course automobile ou d'affaires, d'ordinateurs ou de bricolage.

Notez que les grands quotidiens du samedi constituent une lecture essentielle. Les magazines de mode pour hommes et pour femmes peuvent eux aussi être des sources de sujets intéressants dans votre approche des membres du sexe opposé. En somme, il s'agit simplement d'être renseigné afin de vous montrer intéressé et intéressant.

Il est toujours agréable de rencontrer un homme qui est aussi à l'aise à discuter de cuisine internationale ou du droit de vote des femmes que d'affaires et d'automobiles. D'autre part, il est agréable pour un homme de discuter avec une femme enthousiaste à l'idée que son équipe sportive préférée a remporté une victoire, intéressée par l'échange d'un joueur important d'une équipe de football ou encore versée dans l'actualité sur la scène internationale. Alors, mesdames, lisez vous aussi la section des sports ou les pages économiques des quotidiens; il sera content que vous parliez le même langage que lui. De leur côté, les hommes doivent apprendre à discuter de sujets qui, de façon générale, intéressent davantage les femmes: décoration, mode, beauté, cuisine, jardinage, fleurs, etc. Certains sujets, bien sûr, relèvent d'un intérêt commun aux hommes et aux femmes, notamment le conditionnement physique, la santé, l'alimentation, la politique, l'environnement.

Soyez au courant de l'actualité.

Lisez au moins les grands titres des quotidiens, écoutez les bulletins de nouvelles diffusés à la radio ou à la télévision et lisez une fois par semaine un journal qui résume l'actualité hebdomadaire, généralement l'édition du samedi des grands quotidiens. Si vous ne pouvez lire le journal au complet, lisez au moins les grands titres afin de savoir ce qui se passe dans votre ville, dans votre pays et dans le monde. Il s'agit de ne pas être ignorant des questions importantes de l'heure et de ne pas avoir l'air d'arriver d'une autre planète quand un sujet d'actualité se glisse dans la conversation.

Bâtissez-vous un réseau d'amis des deux sexes et d'âges différents.

Il est très agréable d'avoir des copains du sexe opposé. Ce sont d'excellents accompagnateurs qui ne seront pas insultés et ne se sentiront pas laissés pour compte ou utilisés comme «bouche-trous» si vous les appelez à la dernière minute. En fait, ils vous accompagneront sûrement avec plaisir. Plus votre réseau d'amis sera vaste, plus vous multiplierez les chances qu'on vous propose diverses activités qui vous permettront de bien vivre votre célibat, plus vous serez invité à participer à des événements de tout genre et plus vous aurez de gens à inviter lorsque vous en aurez envie.

Mais comment se crée-t-on un réseau d'amis? Il y a les amis d'enfance qu'on peut retrouver même après 10 ans. Il y a aussi les cousins, les cousines, la famille, les frères, les sœurs, les étudiants avec qui on suit des cours ou les collègues de travail qu'on peut rencontrer pendant les heures de loisir. Un réseau, cela veut également dire les amis de vos amis, de votre famille ou de vos collègues de bureau qui peuvent faire partie, à leur tour, de votre bande de copains et de copines. Les autres cultures vous intéressent? Allez spontanément vers des personnes d'origine étrangère; elles sont habituellement très accueillantes.

Vous faites des rencontres en voyage? Entretenez les liens, échangez vos numéros de téléphone, appelez les gens ou écrivez-leur. Visitez-les, et à votre tour, invitez-les chez vous. Presque chaque jour vous amène une nouvelle rencontre. Combien de fois, lorsque vous avez eu besoin d'un conseil ou d'aide, vous a-t-on répondu: «Donne-moi ton numéro de téléphone et je te rappellerai pour te donner l'adresse de la personne que tu désires rejoindre ou l'information que tu cherches...»

Le réseau d'amis, ce peut être votre groupe d'amis déjà existant auquel vous prendrez soin d'ajouter régulièrement de nouveaux camarades. Il y aura toujours des copains et des copines qui disparaîtront de votre circuit; il est donc important d'alimenter sans cesse votre banque d'amis rencontrés au hasard de vos activités. Peut-être est-ce ainsi qu'un jour vous rencontrerez la personne idéale...

Lors de vos sorties, n'ayez qu'une seule attente: bien vous amuser.

Lorsque vous sortez, ne vous attendez pas chaque fois à rencontrer la personne de votre vie car, si vous arrivez à un endroit et que vous ne voyez personne qui vous attire tout particulièrement, vous ne passerez pas une bonne soirée. Si vos amis organisent pour vous un rendez-vous avec une personne inconnue, ne vous imaginez pas qu'il s'agira du partenaire de vos rêves. Acceptez et foncez, mais allez-y de façon décontractée, tout simplement avec l'intention de passer un bon moment. Profitez pleinement de chaque instant, car si votre esprit est ailleurs, vous pourriez rater une occasion de connaître une personne charmante qui, souhaitons-le, se joindra à votre réseau d'amis. S'il s'agit de la personne de vos rêves, faites preuve de charme et mettez tous vos talents à l'œuvre pour établir le contact nécessaire aux fondements d'une relation durable.

Tenez un agenda dans lequel vous inscrivez à des dates précises des rendez-vous avec vous-même pour pratiquer des activités qui vous intéressent.

Respectez ces rendez-vous avec vous-même tout comme s'il s'agissait de rendez-vous «à ne pas manquer» avec une autre personne. S'occuper de soi-même, c'est une façon de se donner de l'affection. Si vous décidez que vous sortez tous les mardis et tous les samedis, alors inscrivez-le à votre agenda et n'en dérogez pas. Il y a sur le marché des agendas qui permettent de noter toutes vos activités par jour, par semaine ou par mois. Un petit format pour le sac à main ou un format de poche est parfait pour votre agenda social.

Consultez les journaux et les magazines pour connaître les endroits «branchés» à fréquenter, de même que les événements spéciaux s'adressant tout particulièrement aux célibataires.

Habituellement, on trouve dans les villes des publications à caractère culturel et artistique annonçant tout un choix d'événements et d'activités pour la semaine ou le mois à venir. Il arrive même souvent que l'entrée à ces événements soit gratuite. Les quotidiens ont aussi des pages consacrées aux conférences, aux cours, aux activités culturelles et ethniques auxquels le public peut assister. Les journaux de fin de semaine publient, eux aussi, ce type de renseignements en abondance.

Découpez ces articles, conservez-les et consultez-les quand vous ne savez pas où aller. Montez-vous un dossier de références que vous pourrez consulter lorsque vous serez à court d'idées pour vos sorties.

Partez à la découverte de votre ville comme si vous étiez en vacances.

Lorsque vous voyagez à l'étranger, vous sortez habituellement beaucoup et vous n'avez pas peur d'aller seul dans des endroits inconnus. Vous vous permettez plus d'audace que vous n'en manifestez généralement dans votre propre ville. Pourtant, il est tellement plus pratique de rencontrer dans votre ville quelqu'un avec qui vous pouvez sortir régulièrement!

En passant, attention aux partenaires que l'on rencontre en vacances! S'attacher à une personne résidant dans une ville étrangère et loin de chez soi conduit parfois à des amours à distance qui font vite souffrir d'ennui et de solitude. Il est donc préférable de rééquilibrer vos priorités et de vous permettre tout autant de sorties dans votre propre ville que vous vous en autorisez en vacances.

Mesdames, sortez seules. Ou, lors de vos sorties avec les amies, ne passez pas toute la soirée avec elles. Circulez seules.

Choisissez entre autres des endroits faciles d'accès, où vous pourrez vous rendre souvent seule et en peu de temps. Au début, lorsque vous commencerez à sortir seule, vous trouverez peut-être la première demi-heure un peu difficile, vous vous direz sans doute: «Pourquoi suis-je venue ici?» ou encore: « Je n'aurais pas dû m'habiller comme ça...» Prenez de grandes respirations et détendez-vous. Essayez d'avoir du plaisir. Peut-être rencontrerez-vous quelqu'un avec qui vous passerez une soirée très agréable, une nouvelle personne à ajouter à votre réseau d'amis?

Il n'est pas nécessaire que vous soyez toujours accompagnée pour sortir. Ne vous privez pas d'aller à un endroit parce que vous êtes seule. Les hommes, eux, le font bien. Les femmes ont tendance à sortir en groupe ou avec une copine. Si vous partez avec une ou des copines à la recherche de soupirants, séparez-vous peu après votre arrivée plutôt que de passer la soirée à parler avec elles. De cette façon, vous aurez davantage tendance à aller vers les autres et les autres s'approcheront de vous plus facilement. Prévoyez de retrouver vos copines à la salle des dames à une heure prédéterminée; vous déciderez alors si vous repartirez ensemble ou non à la fin de la soirée.

Une confidence à l'intention des femmes: les hommes éprouvent beaucoup de difficulté à se joindre à un petit groupe de femmes, particulièrement lorsque celles-ci ont l'air très absorbées par leur conversation. Les hommes ont peur de s'ingérer, de déranger. De plus, si le groupe est formé de trois femmes et qu'il y en a une qui leur plaît tout spécialement, les hommes trouvent parfois difficile de lui manifester leur intérêt sans risquer de blesser les deux autres.

Faites la liste des endroits que vous avez plaisir à fréquenter.

Vous vous sentirez plus à l'aise de sortir seul si vous faites une sélection parmi les restaurants, bars, discothèques et cafés que vous fréquentez habituellement. Après un certain temps, vous en viendrez à mieux connaître le personnel de ces endroits: l'hôte ou l'hôtesse se fera un plaisir de vous accueillir, les serveurs vous appelleront par votre prénom, vous vous sentirez chez vous dans une atmosphère détendue qui vous sera devenue familière et où il sera agréable de faire de nouvelles connaissances.

L'un des principaux avantages à devenir un client régulier de ces endroits, c'est que le personnel et la direction auront l'impression de vous connaître suffisamment bien pour oser vous présenter à d'autres habitués. Ou encore, qui sait si cette superbe personne que vous y avez remarquée les jeudis soirs n'entamera pas un jour la conversation avec vous... Une chose est certaine, ces gens ont en commun avec vous d'avoir choisi un endroit intéressant pour passer une partie de leurs temps libres.

Encouragez les commerces de votre quartier. Prenez le petit déjeuner dans ce petit café original qui se trouve près de chez vous, achetez vos journaux et vos magazines au même kiosque. Le temps de le dire et vous connaîtrez des tas de gens qui vous accueilleront avec le sourire, qui prendront de vos nouvelles, etc. Puis un jour, ils voudront absolument vous présenter à leur neveu, à leur nièce, à leur cousin ou à leur cousine!

Vous rencontrerez davantage de gens si vous pratiquez vos activités sportives dans un parc ou dans des sentiers balisés, sans compter que ces personnes auront bien souvent les mêmes intérêts et le même enthousiasme que vous.

Êtes-vous un crac des flippers ou des jeux vidéo? Si c'est le cas, n'hésitez pas à impressionner une personne qui a attiré votre attention avec vos prouesses. De nombreux adultes s'adonnent à ces jeux compliqués et, si vous ignorez tout de ces machines, vous verrez comme il est intéressant d'observer les experts à l'œuvre, sans compter que vous pourriez faire connaissance avec l'un d'eux! Rien de plus simple que de vous tenir près d'une personne avec qui vous aimeriez entamer la conversation et de la regarder faire. Si elle atteint un score élevé, dites alors quelque chose comme: «C'est impressionnant! Ce jeu m'a l'air excitant, pourriez-vous m'apprendre à jouer?»

Vous pourriez rencontrer l'âme sœur dans un groupe de soutien!

Les groupes de soutien comme les Alcooliques Anonymes et les Outremangeurs Anonymes ne servent pas qu'à aider les individus à résoudre un problème particulier. Ils constituent également l'endroit idéal pour rencontrer des gens et pour établir des relations durables. Ces groupes organisent régulièrement des conférences et des rencontres où vous aurez la possibilité de vous lier d'amitié avec des personnes qui ont les mêmes problèmes que vous.

Si vous êtes membre d'un tel organisme, vous y rencontrerez assurément des personnes dont les intérêts sont similaires aux vôtres. Comme vous, elles ont peut-être simplement besoin de raffermir leur volonté. Quoi de mieux que de rencontrer quelqu'un dont vous pourrez partager la vie tout en prenant soin de vous et en vous encourageant mutuellement!

Faites une liste des activités et des sports dans lesquels vous excellez ou qui vous intéressent.

Jouez-vous au tennis? Au volley-ball? Inscrivez-vous à des associations ou à des clubs regroupant des gens qui partagent les mêmes intérêts que vous. Vous pouvez même prendre l'initiative de former votre propre groupe s'il n'en existe pas déjà qui corresponde à vos goûts.

Ayez toujours vos cartes d'affaires ou de visite à portée de la main et servez-vous-en pour démarrer... une affaire de cœur.

Si vous n'en avez pas, pourquoi ne pas vous en faire imprimer? Ces cartes ne sont pas coûteuses et elles s'offrent tellement mieux qu'un nom ou un numéro griffonné sur un bout de papier ou un paquet de cigarettes qui risque d'être jeté dès qu'il sera vide. Il existe d'ailleurs maintenant, dans plusieurs endroits publics et dans les imprimeries, des distributrices de cartes personnalisées, que vous pouvez acheter en petites quantités en ne déboursant qu'un montant minime.

Pour une somme peu élevée, vous pouvez même enregistrer au Palais de justice la raison sociale de votre propre petite compagnie, que ce soit en aménagement intérieur, en art floral, en service de traiteur ou encore dans tout autre domaine qui correspond à une activité que vous pratiquez, même si ce n'est pas celle avec laquelle vous gagnez votre vie. Faites inscrire votre nom, le nom de votre nouvelle petite compagnie et choisissez-vous un titre, si cela vous fait plaisir. Faites imprimer vos cartes et le tour est joué! Vous voilà en affaires... pour distribuer vos cartes d'affaires... Procurez-vous dans une bijouterie ou dans une boutique de cadeaux un étui ou un boîtier conçu spécifiquement pour les cartes d'affaires ou de visite; tout en étant chic, il est pratique et protège vos cartes d'affaires.

Offrez votre carte avec assurance dès le début d'une conversation. En effet, dans les conversations en général, une des premières questions que l'on pose, c'est: «Quel genre de travail fais-tu dans la vie?» Voilà le moment idéal pour remettre tout naturellement votre carte. Ainsi, vous ne donnez pas l'impression de chercher désespérément un rendez-vous galant. Comme votre interlocuteur dispose déjà de votre numéro de téléphone au bureau, s'il est intéressé à vous appeler pour des motifs personnels, il ne vous demandera probablement pas votre numéro résidentiel, vous n'aurez donc pas à le lui révéler pour le moment. Après tout, vous ne le connaissez encore que si peu!

La carte d'affaires vous donne de la crédibilité; elle inspire confiance à l'autre. Aussi, il est souhaitable de l'offrir dès les premiers instants d'une rencontre. Pour les hommes, une excellente manière d'indiquer subtilement qu'ils ne sont pas mariés et qu'ils vivent seuls est d'inscrire leur numéro de téléphone personnel à l'endos de leur carte d'affaires.

Monsieur, présentez-vous dès le début et offrez tout de suite votre carte d'affaires. Si vous désirez recommuniquer avec votre interlocutrice, demandez-lui d'abord et avant tout son numéro de téléphone au bureau. Ainsi, il sera clair pour elle que vous n'avez pas l'intention de lui téléphoner au milieu de la nuit. Invitez-la pour un cocktail ou encore pour le repas du midi et ce, en semaine: un rendez-vous court est moins intimidant lorsqu'il s'agit d'une première rencontre. Parlez-lui de votre famille, de vos neveux, de vos frères, de vos sœurs, de votre mère.

Supposons, monsieur, que vous veniez tout juste de faire la connaissance d'une dame en vous baladant dans un parc. Il est possible que, par mesure de sécurité, cette femme ne soit pas prête à vous divulguer sur-le-champ son numéro de téléphone. Donc, plutôt que de le lui demander, donnez-lui le vôtre et proposez-lui qu'elle vous téléphone. Comme les manchettes font régulièrement état d'actes de violence à l'endroit des femmes, il est normal qu'au début d'une relation, les femmes soient prudentes et hésitent à donner leur numéro de téléphone privé.

Même si vous vivez présentement une relation sentimentale, acceptez les cartes que l'on vous offre. Pourquoi? Pour la simple raison que cette modeste petite carte peut un jour constituer l'amorce d'une grande amitié! Qui sait? Il est possible aussi que dans trois ou six mois, vous redeveniez libre. Vous serez alors peut-être très heureux d'avoir conservé la carte de cette personne et de pouvoir recommuniquer avec elle.

Établissez votre crédibilité aussitôt que possible. Sans nécessairement tout dire de vous, ne soyez pas trop secret. Soyez honnête et ouvert.

N'hésitez pas à dévoiler certains renseignements de base sur vous-même de votre propre chef, afin de gagner le plus rapidement possible la confiance de l'autre.

Faites subtilement comprendre que vous êtes libre.

Parlez par exemple d'un détail de votre vie quotidienne qui laisse sous-entendre que vous habitez seul. En fait, il s'agit de passer avec subtilité le message qu'il n'y a personne actuellement dans votre vie sentimentale, mais que vous trouveriez bien agréable qu'il y ait quelqu'un. Par exemple, glissez dans la conversation que vous êtes fin gourmet mais que, quand vous rentrez à la maison le soir, cela vous ennuie de vous lancer dans la grande cuisine pour vous seul; ou encore, racontez que, la fin de semaine, vous préparez vos repas pour la semaine à venir, en congelant des petites portions «individuelles». Des allusions de ce genre vous permettent non seulement de faire comprendre que vous vivez seul, mais aussi que vous n'avez personne dans votre vie amoureuse pour le moment.

D'autres détails feront discrètement comprendre que vous habitez seul. Dites que vous faites l'épicerie pour une seule personne, ou bien que vous habitez un studio ou un petit appartement de deux pièces et demie. Vous pouvez également glisser dans la conversation que vous avez vous-même décoré votre intérieur, en prenant soin de préciser les touches personnelles qui caractérisent votre environnement. De plus, le fait d'offrir sans hésiter votre numéro de téléphone résidentiel démontre sans l'ombre d'un doute que vous ne partagez pas votre vie avec quelqu'un.

Ne portez pas de bagues qui ressemblent à des alliances de mariage ou à des bagues de fiançailles.

Beaucoup de gens, encore de nos jours, ont l'habitude de déterminer si quelqu'un est célibataire, fiancé ou marié en regardant ses mains. On sait que, traditionnellement, une bague de fiançailles et, plus tard, l'anneau ou le jonc de mariage se portent tous deux dans l'annulaire de la main gauche. Ces bagues constituent encore aujourd'hui une façon de révéler son état civil. Il s'agit donc, si vous êtes une personne libre et que vous souhaitez rencontrer quelqu'un, de ne pas induire les autres en erreur en portant des bagues dans le quatrième doigt de la main gauche.

Ayez l'air naturel.

Ne jouez pas au «superman» ou à la «superwoman» qui tente d'impressionner par ses performances. Montrez-vous plutôt comme une personne accessible, c'est-à-dire une personne vraie, qui a ses forces et ses faiblesses, ses qualités et ses défauts. Vous le savez, la perfection n'est pas de ce monde. C'est d'ailleurs souvent votre petit côté timide ou vulnérable qui vous rend attachant.

Projetez l'image d'une personne désirable.

Pour projeter l'image d'une personne désirable, vous devez d'abord vous sentir désirable, ce qui n'a pas nécessairement une connotation sexuelle. Se sentir désirable, cela veut aussi dire être bien dans sa peau. C'est exprimer des choses positives sur soi et sur les autres. C'est s'occuper de soi-même et s'offrir des petites gâteries qui font qu'on se sent bien et épanoui: par exemple, se relaxer dans un bon bain moussant, réussir cette fameuse recette de biscuits au beurre qui fait votre popularité auprès de tous vos amis, porter un vêtement seyant dans lequel vous êtes particulièrement à l'aise et qui vous attire toujours des regards admirateurs et des compliments, faire régulièrement des exercices de conditionnement physique qui vous dynamisent, vous faire coiffer d'une façon originale, avoir la barbe bien taillée, savoir vous amuser.

Rappelez-vous que chacun a des qualités, des attraits uniques qui font qu'il gagne à être connu et aimé. Prenez l'habitude de vous répéter chaque jour que vous êtes une personne bien, digne de respect et qui mérite le bonheur. C'est en croyant fermement vous-même que vous êtes désirable que vous parviendrez à en convaincre les autres. Cette image ressortira de vos attitudes et de vos comportements. Placez des notes de motivation partout dans la maison, affichez des compliments flatteurs à votre intention sur le frigo, sur le miroir de la salle de bain, sous votre oreiller. À force de relire ces messages, vous vous sentirez de mieux en mieux et vous serez de plus en plus enclin à rencontrer de nouveaux amis.

Identifiez les gestes et les petites attentions qui font que vous vous sentez désirable et répétez-les souvent. Ces choses sont propres à chacun. Pour certains c'est un nouveau parfum, un carré de soie délicat, un bain sauna. Pour d'autres, ce peut être la lecture d'un roman d'amour ou le fait de porter une pièce de lingerie fine. Votre but premier est de rehausser l'estime que vous avez de vous-même. Mais attention! On ne peut pas se sentir désirable tous les jours, 24 heures sur 24, car tout être humain a ses hauts et ses bas. Saisissez donc cette agréable sensation au moment précis où elle passe et profitez-en pour sourire aux gens. Savourez avec satisfaction les résultats positifs que vous en retirerez. Relisez souvent la liste de vos qualités énumérées dans votre autoportrait et déterminez lesquelles vous souhaitez surtout mettre en valeur pour vous sentir mieux encore et pour plaire davantage.

Projetez l'image d'une personne amusante, d'agréable compagnie, avec qui on peut se distraire et avoir du plaisir.

Ne soyez pas de ces gens ennuyeux et austères qui parlent constamment de leurs problèmes. Il est important de mettre en valeur votre sérénité et votre sens de l'humour. Être une personne amusante, c'est être décontracté, souriant, naturel, accessible et drôle. Voilà des qualités qui se traduisent dans l'habillement, dans l'apparence, dans la façon de parler, etc. Une image amusante attire les autres et les incite à se rapprocher de vous, à rechercher votre compagnie.

Rappelez-vous quel type de gens vous attire le plus. Ceux qui se plaignent? Qui sont trop sérieux? Ou plutôt ceux qui prennent la vie avec humour? Soyez donc amical et faites des efforts. Sachez vous moquer de vous-même. Ne vous prenez pas trop au sérieux.

Projetez l'image d'une personne intéressante, active, qui a une vie bien remplie et qui occupe un emploi ou exerce une profession qu'elle aime ou même qui la passionne.

N'oubliez pas qu'une personne intéressante ne passe pas tout son temps à la maison à ne rien faire ou à regarder la télévision. C'est plutôt une personne bien «branchée», aux activités et aux intérêts diversifiés, qui a des occupations, des loisirs, des amis et une vie sociale et qui peut parler d'une foule de sujets, de l'actualité, de livres, de musique ou encore des films et des spectacles à l'affiche.

Si vous projetez l'image de quelqu'un de très satisfait de lui-même et de sa vie, les gens vous trouveront habituellement très attirant. Si vous projetez une image désespérée ou hostile, les gens auront tendance à vous fuir. Aussi, si vous recherchez un partenaire avec acharnement, vous serez incapable de laisser les événements suivre leur cours et ferez fuir les autres.

Par exemple, au premier rendez-vous, une femme avertit déjà son nouvel ami: «Écoute! Moi, j'ai 39 ans. Je veux me marier. Je désire une famille et je n'ai pas de temps à perdre. Si tu n'as pas les mêmes buts que moi, nous devrions nous quitter tout de suite.» Peut-être veut-il la même chose qu'elle, mais ce n'est sûrement pas avec cette dame qu'il décidera d'atteindre ses buts, de bâtir son avenir. Elle est trop pressée pour lui.

Une excellente façon de vous lier tout naturellement avec quelqu'un, c'est souvent de donner l'impression que vous ne recherchez pas fiévreusement la relation de votre vie. Évidemment, si la personne idéale se présente, vous serez prêt. Mais vous ne serez tout de même pas un être incomplet si vous ne l'avez pas rencontrée d'ici la fin de la semaine. Attention: les personnes désespérées risquent souvent d'attirer des partenaires qui vont les exploiter. De tels partenaires ne manifestent pas toujours des signes de cet ordre dès le début de la relation; il peut donc être difficile de les déceler.

Demandez aux gens que vous connaissez de vous présenter quelqu'un avec qui vous pourriez bien vous entendre.

Projetez l'image de quelqu'un qui est satisfait de sa vie et qui a des activités intéressantes, mais qui aimerait les partager avec une personne du sexe opposé.

Vos amis et les autres gens que vous côtoyez régulièrement connaissent votre personnalité, votre caractère, vos goûts, vos activités et vos loisirs. Si vous leur demandez de vous présenter un partenaire, il se peut qu'ils soient de prime abord surpris par votre requête et qu'ils ne pensent pas sur-le-champ à quelqu'un de disponible. Sans les harceler, revenez à la charge occasionnellement et réitérez-leur votre demande, disons, tous les trois mois. Pendant ce laps de temps, ils peuvent avoir connu un nouveau voisin de palier, un nouveau collègue de travail, un ami qui est libre depuis peu et qu'ils pourraient vous présenter.

Voici une bonne façon d'approcher des collègues de travail. Jean arrive à son bureau un lundi matin et raconte: «En fin de semaine, j'ai été très actif et j'ai fait plusieurs choses divertissantes. Je suis allé au cinéma, je suis allé faire du ski de fond, puis manger dans un restaurant branché, j'ai fait plein de trucs qui m'ont permis de passer une belle fin de semaine. Cependant, toutes ces activités intéressantes, je les ai faites seul, et ma fin de semaine aurait été tellement plus agréable si j'avais eu quelqu'un, une compagne avec qui les partager. L'un d'entre vous aurait-il quelqu'un à me présenter, une amie, une voisine, une sœur, une cousine, une personne susceptible de me plaire, avec qui je pourrais bien m'entendre et qui aimerait partager avec moi tous ces loisirs?»

Ne négligez pas non plus d'en parler à votre famille. Par exemple, vos parents aussi peuvent vous présenter quelqu'un.

Il peut arriver aussi que, sans que vous le demandiez, les gens vous offrent de vous présenter quelqu'un. Alors, acceptez et ne ratez aucune chance. Vous pourriez être très agréablement surpris. Cependant, ne vous imaginez pas au départ que la nouvelle personne qu'on vous présentera à une soirée sera l'homme ou la femme de votre vie. N'attendez rien d'autre de cette soirée que de danser et d'avoir du plaisir. Ainsi, vous serez moins déçu si la personne que l'on vous a présentée ne correspond pas à votre idéal.

Offrez 1000 $ à la personne qui vous présentera votre futur partenaire.

Cet exemple un peu farfelu est l'idée d'un riche Américain qui a offert 1000 $ à quiconque lui présenterait sa future épouse. Et cela a marché! Alors pourquoi n'essayeriez-vous pas cette formule vous aussi?

À la personne qui vous présentera votre partenaire, vous pourriez également promettre des cadeaux spéciaux comme un billet d'avion pour Paris, avec un repas pour deux au célèbre restaurant *La Tour d'Argent* et une nuit à l'hôtel *Le Crillon*.

Ou encore, vous pourriez tout simplement offrir une foule de petits plaisirs fantaisistes et originaux à la portée de votre bourse. Il vous suffit de donner libre cours à votre imagination.

Modifiez ou laissez tomber certains de vos critères de sélection qui ne sont pas essentiels.

Dans votre démarche pour trouver un partenaire, pour ne pas faire fausse route, évitez de rechercher un modèle stéréotypé, plutôt qu'une personne en tant que telle. Vous devez entretenir une relation amoureuse avec une «vraie» personne, en chair et en os, dotée d'un esprit unique et fascinant. Si vous semblez vous attacher à répétition à un même type de partenaire et que vos relations ne durent jamais longtemps, peut-être est-il temps de faire le bilan de vos expériences passées afin de déterminer ce qui, pour vous, n'a pas fonctionné?

Si, par exemple, une femme aime les hommes d'affaires, mais qu'elle finit toujours par les quitter parce qu'ils n'ont jamais suffisamment de temps à lui consacrer ou que leur carrière passe toujours avant leurs relations sentimentales, il serait souhaitable qu'elle change ses critères de sélection afin de rencontrer un homme qui dispose de plus de temps libre à lui accorder et dont les activités sont plus compatibles avec ses aspirations. De même, l'homme qui s'est toujours entêté à ne fréquenter que des femmes blondes, mais qui n'a jamais connu de relations heureuses après avoir courtisé successivement 50 femmes blondes gagnerait, lui aussi, à élargir ses horizons. Il pourrait alors rencontrer une brunette ou une rousse qui saurait peut-être enfin répondre à ses attentes. Ces deux exemples illustrent bien que le fait d'être un homme d'affaires ou une femme blonde ne doit pas constituer un critère de sélection «essentiel» dans la recherche d'un partenaire amoureux. De tels attributs doivent plutôt être considérés comme des qualités «souhaitables», accessoires et aléatoires.

Cessez de rêver au Prince charmant ou à la Belle au bois dormant et regardez la personne du sexe opposé de façon réaliste. Réévaluez vos critères de sélection et faites bien la différence entre ce qui est, pour vous, «essentiel» ou simplement «souhaitable». Ne cherchez pas la perfection absolue. Rappelez-vous que vous-même n'êtes pas tout à fait parfait. Et ne dites jamais: «Jamais!»

Identifiez vos blocages ou ce qui vous paraît le plus difficile lors du premier contact. Êtes-vous timide?

Est-ce l'échange des regards qui vous gêne? Est-ce que vous avez de la difficulté à amorcer la conversation? Ou encore à la poursuivre? Éprouvez-vous de la timidité à proposer une deuxième rencontre par peur qu'on vous refuse? Prenez conscience de vos points faibles et travaillez à les surmonter. La confiance en vous-même et une attitude positive facilitent grandement vos rencontres avec le sexe opposé.

Débarrassez-vous de vos pensées négatives, de vos complexes et de vos craintes injustifiées.

Ils vous paralysent psychologiquement et nuisent à vos relations sentimentales. Certaines anxiétés telles que la peur du rejet, de la souffrance, de l'échec, de l'engagement, de l'intimité ou de la perte de votre liberté ne sont finalement que le fruit de votre propre imagination ou de vos expériences passées. Elles constituent une véritable barrière psychologique qui freine vos élans envers un éventuel partenaire et nuit à vos chances de bonheur.

Aux États-Unis, des scientifiques ont tenté une expérience afin de mieux comprendre les barrières psychologiques des gens. Ils ont placé un gros poisson dans un aquarium. Ils ont nourri régulièrement le gros poisson avec un petit poisson que le premier, bien sûr, s'empressait de dévorer. Un jour, les scientifiques ont placé une vitre entre les deux poissons. Évidemment, chaque fois que le gros poisson tentait de dévorer le petit poisson, il se cognait le nez sur la vitre. Après un certain temps, on retira la vitre de l'aquarium. Lorsqu'on y remit le petit poisson, le gros poisson n'osa plus revenir le dévorer, de peur de se cogner à nouveau le nez sur la vitre. Pourtant, la fameuse vitre n'existait plus. Le gros poisson se trouvait devant une barrière psychologique.

Il en est de même pour l'être humain face aux peurs, aux craintes et aux complexes qu'il a pu développer à la suite des expériences négatives qu'il a vécues. Changez donc dès maintenant vos attitudes négatives pour l'optimisme et le positivisme et vous verrez toutes les expériences merveilleuses qui commenceront à vous arriver.

Malgré les rejets, restez motivé et, dès maintenant, faites de votre imagination votre meilleure alliée.

Si une succession de rejets vous affectent, permettez-vous un temps de repos d'une durée raisonnable pour vous redonner de l'énergie, puis reprenez votre recherche de partenaire. Ne prenez jamais un rejet comme un affront personnel et soyez conscient qu'un refus n'a souvent aucun rapport avec vous. Si quelqu'un ne vous considère pas comme étant «son type» d'homme ou de femme, cela ne veut pas dire que vous n'êtes pas le «type» de quelqu'un d'autre.

Pensez à quelqu'un qui vous admire sincèrement et qui vous trouve superbe, un ancien amoureux peut-être. Rappelez-vous ses mots et ses compliments qui exerçaient sur vous un effet si motivant, si merveilleux et qui faisaient en sorte que vous vous sentiez unique au monde. Utilisez votre imagination de façon constructive. Rappelez-vous vos succès passés dans votre vie sentimentale. À compter d'aujourd'hui, visualisez positivement la réussite dans vos amours de la même manière que le font les experts de la vente avant de conclure une transaction ou encore les athlètes avant d'entreprendre une compétition.

Dites-vous: «Il ne faut pas que je m'attende à plaire à tous les gens que je rencontre. De la même manière, tous les partenaires du sexe opposé que je côtoie ne m'attirent pas de la même façon. Mais je ne saurai jamais si je plais ou non si je n'essaie pas; il faut donc que j'ose prendre une chance.»

Évitez les pensées négatives telles que: «Si je parle à cette personne-là, elle peut me trouver ennuyeux.» Dites-vous plutôt: «Si je parle à cette personne-là, elle peut penser que je suis ennuyeux, mais ce ne sera probablement pas le cas puisque je sais être très intéressant lorsque je m'y applique.» Ne vous dites pas: «Si je parle à cet homme, il s'imaginera sans doute que je veux sortir avec lui.» Affirmez plutôt: «Si je parle à cet homme, il croira possiblement que je veux sortir avec lui, mais peut-être qu'il aimerait, lui aussi, sortir avec moi. S'il est déjà engagé dans une relation, il sera sans doute flatté malgré tout de l'intérêt que je lui porte. De plus, il a peut-être un cousin ou un copain célibataire qu'il pourrait me présenter?...» Ou encore, dites-vous: «Si j'invite cette femme à sortir et qu'elle refuse, il n'y a pas lieu pour moi de le prendre comme un affront. Peut-être a-t-elle déjà quelqu'un dans sa vie. Ou encore, il est possible que le moment ne soit pas opportun pour elle. Mais si elle accepte, je suis sûr que nous allons bien nous amuser.»

Téléphonez le premier.

Il y a quelques jours, vous avez fait la connaissance d'une nouvelle personne. La rencontre s'est bien déroulée et vous avez même échangé vos numéros de téléphone. Aujourd'hui, il se trouve que vous avez le goût de lui parler. Évitez de vous placer dans une position d'attente. Téléphonez-lui donc le premier. Cependant, si la personne est absente et que vous lui laissez un message, ne restez pas à côté du téléphone à prier pour qu'il sonne. Elle tarde à vous rappeler? Vaquez à vos occupations, vivez bien votre célibat, sortez, fréquentez vos amis, adonnez-vous à une foule d'activités qui vous plaisent et essayez de vous distraire. Ne perdez pas votre temps à vous ronger les sangs et à souhaiter l'appel de quelqu'un qui, de son côté, s'offre probablement du bon temps. De même, n'attendez pas toujours qu'on vous invite, invitez vous aussi.

Rappelez-vous que le fait de téléphoner en premier ne constitue pas une demande en mariage. On peut téléphoner simplement pour parler de tout et de rien; il n'est pas nécessaire de téléphoner dans le but précis d'inviter quelqu'un à une sortie.

Soyez bien «branché»: procurez-vous un répondeur.

Pour ne rater aucun appel, aucune invitation, faites-vous un cadeau: munissez-vous d'un répondeur ou d'une boîte vocale et inventez, sur des fonds de musique variée, des messages amusants et originaux que vous changez souvent. Certains modèles sont disponibles à très bas prix. Choisissez de préférence un modèle plus luxueux qui vous permettra de prendre vos messages à distance, une fonction très pratique pour quiconque habite seul. N'oubliez pas que brancher son répondeur même lorsqu'on est chez soi, c'est aussi une excellente façon de filtrer les appels; ainsi, on ne répond que lorsqu'on le veut.

Dans le cas où vous laissez un message sur le répondeur téléphonique de l'autre personne, il importe de savoir dès le départ le but de votre appel. S'agit-il seulement de prendre des nouvelles générales sur sa santé ou son travail ou est-il question de l'inviter à une soirée pendant laquelle vous projetez une demande en mariage? Êtes-vous hésitant, inconfortable avant même de composer le numéro? Êtes-vous surpris de son absence? Le répondeur vous effraie-t-il? Vous ne savez pas quoi lui dire, ni comment?

À la lumière de ces questions et des précisions que vous y apporterez, il convient de souligner ici que la problématique du message n'est pas complètement résolue. Savoir ce que nous voulons dire, même si au besoin nous l'avons écrit et joliment formulé sur une feuille, n'est pas suffisant. L'art de la conversation ou de toute communication, qu'elle soit verbale ou écrite, repose sur la manière de dire les choses. Or dans le cas d'une communication orale, il y a plus que le choix du vocabulaire; il y a ce véhicule principal, tout à fait unique et original, qui est la voix humaine, notre voix avec ses accents particuliers, son timbre, son débit... bref, tous ces éléments qui indiquent à notre interlocuteur notre température intérieure: assurance, joie, tristesse, nervosité, fatigue, etc. Le ton d'un message révélera donc à qui sait lire entre les lignes ou saisir entre les mots le sens plus ou moins caché de notre appel. Encore une fois, il paraît utile de rappeler l'importance d'être à l'écoute de notre corps (de notre voix intérieure) afin d'éliminer les tensions inutiles et de maîtriser plus adéquatement les moments où nos sentiments se trouvent en équilibre... sur un fil de téléphone.

Une dernière remarque: le répondeur capte un seul élément, lequel résume dans le temps et dans l'espace votre présence dans le lieu du partenaire: il s'agit du son de votre voix. C'est elle qui vous représente et rien d'autre, d'où le besoin de l'accorder tel un violon ou une harpe. À bon entendeur, salut!

Soyez toujours prêt à laisser un message sur un répondeur.

De nos jours, une forte majorité de célibataires et de gens libres sont équipés pour recevoir vos messages lorsqu'ils sont à l'extérieur. Vous téléphonez quelque part et le répondeur est branché? Laissez un message humoristique qui montrera que vous aimez rire et avoir du plaisir dans la vie. Assurez-vous surtout de laisser votre nom et votre numéro de téléphone et précisez quel est le meilleur moment pour vous rejoindre.

Vous pouvez aussi dire simplement: «C'est Claude, je suis difficile à joindre, je te rappellerai, ciao!» Ainsi, vous ne vous placez pas dans une position d'attente et vous gardez le contrôle de la relation.

Laissez un message sur le répondeur de l'autre personne quand vous savez pertinemment qu'elle est absente. C'est un geste qui rend la personne à l'aise de vous rappeler ou non. De plus, à partir de sa réaction face à votre message, vous pourrez mesurer l'intérêt qu'elle manifeste à votre égard. Cependant, soyez préparé psychologiquement avant d'appeler. Rappelez-vous que vous avez le choix entre raccrocher ou laisser un message complet. Si vous ne voulez pas attendre que l'autre vous rappelle, donnez votre nom, dites que vous êtes difficile à joindre et que vous rappellerez vous-même bientôt. Ayez de l'assurance dans la voix. Ne bafouillez pas et, au besoin, écrivez votre message avant d'appeler.

Allez aux danses et aux activités pour célibataires, des événements de choix pour quiconque souhaite rencontrer un partenaire potentiel.

Après tout, tous y vont pour la même raison: rencontrer d'autres célibataires. Les grands quotidiens, surtout les éditions du samedi, publient dans les annonces classées des chroniques d'activités sociales incluant les danses pour célibataires.

Téléphonez aux organisateurs de ces événements et prenez la peine de demander quelles sont les catégories d'âge des gens qui participent habituellement aux activités qui vous intéressent. Vérifiez aussi si les hommes et les femmes y sont présents en nombre égal, si un comité d'accueil se charge de vous présenter aux autres à votre arrivée ou si on a prévu de placer un nombre égal d'hommes et de femmes à chaque table. Demandez également quel type de clientèle se rend habituellement à ces événements. Lorsque vous serez sur place, levez-vous, promenez-vous, présentez-vous et faites connaissance avec le plus de célibataires possible.

Habituellement, les femmes se rendent à ce type de soirées par groupe de deux, trois ou quatre tandis que les hommes y vont seuls. Cependant, il est important que les dames réalisent que le fait qu'elles se tiennent en groupe intimide souvent l'homme seul. Pour vous montrer plus accessible, plus abordable, séparez-vous de vos amies. Souriez et établissez des contacts visuels.

Sortez prendre votre petit déjeuner au restaurant ou à l'hôtel.

Allez-y tant en semaine qu'en fin de semaine. Vous ne rencontrerez jamais personne en prenant votre petit déjeuner seul dans votre cuisine. En semaine, beaucoup de gens vont déjeuner seuls au restaurant, en lisant le journal, avant de se rendre au bureau le matin. Si vous lisez votre auteur préféré, sortez le bout du nez de votre livre de temps à autre pour voir s'il y a du «beau monde» autour de vous.

Les samedis et les dimanches, nombre de gens libres ont l'habitude de prendre le *brunch* au restaurant, un excellent endroit pour se rencontrer ou faire la conversation. Certains endroits organisent même des *brunchs* pour célibataires les week-ends. Aujourd'hui, les villes fourmillent de cafés et de casse-croûte qui se spécialisent dans les petits déjeuners — muffins, croissants, bagels — en plus des restaurants offrant des menus plus traditionnels du matin. De plus, une sortie au restaurant pour le petit déjeuner est une activité peu coûteuse qui démarre bien la journée.

Sortez prendre le café et le dessert au restaurant.

On retrouve de plus en plus de petits bistrots sympathiques qui offrent des cafés sophistiqués tels que le cappucino, l'express ou le café au lait. Il existe également plusieurs salons de thé où, en plus de servir une variété de thés et de tisanes du monde entier, on propose des pâtisseries fort alléchantes. Beaucoup de gens s'y rendent pour lire ou pour discuter. On y rencontre régulièrement des gens seuls avec lesquels il est facile et agréable de lier conversation.

Ce sont là d'excellents endroits pour effectuer une petite sortie peu coûteuse, notamment le soir après le souper chez soi. Certains d'entre eux, de par leur décor recherché, leur musique douce ou leur ambiance romantique, représentent aussi des lieux parfaits pour inviter quelqu'un à l'occasion d'une première sortie.

Parmi les bons endroits pour rencontrer des gens seuls, on compte également les galeries d'art, les librairies, les bibliothèques, les clubs vidéo, les kiosques de magazines et de livres.

Fréquentez à l'occasion des endroits qui sont à la fois un restaurant et un kiosque de magazines; flânez dans des lieux où l'on peut faire des rencontres intéressantes tout en fouillant dans les livres qui s'y trouvent. Certains endroits ont une double vocation, comme les bars dont les décors sont jolis et la musique douce et où les clients peuvent jouer tranquillement au billard en discutant ou en sirotant leur apéro préféré.

Visitez les galeries d'art et les expositions. Fréquentez aussi les vernissages. Non seulement vous risquez d'alimenter votre connaissance de l'art, mais vous rencontrerez des personnes intéressantes, cultivées, souvent très animées et faciles à aborder. L'exposition constitue un excellent sujet de conversation qui fait qu'on ne parle ni de soi ni de l'autre. On commente les tableaux qui sont exposés ou les œuvres d'art qu'on peut y voir, ou bien on parle de l'artiste qui les a conçus et créés.

L'avantage des vernissages, c'est qu'ils ont habituellement lieu à la fin de la journée. Vous pouvez y rester 15 minutes si c'est ennuyeux ou deux heures si vous vous y plaisez et ce, tout en prenant quelques canapés et un rafraîchissement.

Profitez-en pour faire connaissance avec les autres invités et demandez au personnel de vos galeries préférées d'ajouter votre nom à leur liste d'envoi, même si vous ne croyez pas y revenir. On peut toujours changer d'idée, non?

De plus, les gouvernements ont généralement des listes d'envoi pour tout genre de communiqués et de documents. Divers organismes, des boutiques, certaines galeries et les grands centres d'exposition vous posteront, sur demande, des calendriers de leurs événements à venir.

Visitez les salons et les marchés. Participez à des congrès, assistez à des ventes aux enchères, etc.

Les ventes aux enchères sont habituellement fréquentées par des gens qui ont le sens de l'humour, des gens qui sont agréables à rencontrer et à côtoyer.

Certains salons, tel le Salon des célibataires ou encore le Salon des passe-temps, peuvent être particulièrement intéressants pour vous. Visitez également des salons axés sur les arts, les sports ou les loisirs qui vous passionnent (ski, nautisme, livres, métiers d'art, automobiles anciennes, etc.).

Vous y rencontrerez des gens qui partagent les mêmes intérêts que vous. Ce qui importe, c'est d'établir des contacts et de vous montrer réceptif envers ceux qui tentent de vous connaître.

Les divers congrès attirent habituellement beaucoup de participants qui s'y rendent dans un but commun. De plus, les congrès offrent toutes sortes d'activités, non seulement professionnelles mais aussi sociales, qui constituent des occasions uniques de rencontrer des gens nouveaux.

Promenez-vous accompagné de votre chien. Si vous n'en n'avez pas, empruntez celui de votre voisin ou d'un parent.

Votre chien a l'air banal? Mettez-lui un bandage autour de la queue et vous verrez combien de personnes vous parleront!

Sourire aux lèvres, les passants dans la rue vous parleront de votre chien, vous demanderont son nom, etc. Ils iront même jusqu'à parler au chien! Voilà une façon amusante d'établir des contacts avec les gens. C'est d'ailleurs un truc éprouvé par Ronald Reagan lui-même qui s'en est servi régulièrement pour rencontrer des femmes au cours de sa vie. Cela marche aussi pour d'autres!

Par exemple, Suzanne, qui mesure 1,83 mètre, s'est un jour sentie très découragée, car elle éprouvait beaucoup de difficulté à rencontrer quelqu'un qui corresponde à la fois à ses critères et à sa taille. Elle décida alors de ne plus chercher. Elle ne sortit pas pendant six mois; puis, un beau samedi soir, elle se rendit dans un magasin acheter un sac de farine pour faire des biscuits. Elle y alla accompagnée de son chien et, en sortant du magasin, un type en bicyclette s'arrêta pour voir le chien et lui parler. Eh bien! il s'appelait Carl et aujourd'hui, Carl et Suzanne sont mariés depuis quinze ans et vivent très heureux... avec le chien. Si vous n'avez pas de chien, pourquoi ne pas promener un chat en laisse? Et là, vous êtes sûr que tous les chiens — et leurs maîtres, bien sûr — s'intéresseront à vous!

Parlez à ceux qui se promènent avec leur chien.

La conversation est facile à entreprendre: «Comment s'appelle votre chien?»
«Fido!»
«Ah! et quel est son numéro de téléphone, à Fido?...»

Amusez-vous à visiter les concessionnaires automobiles.

Si vous désirez rencontrer une personne décontractée, amusante ou sportive, vous auriez intérêt à visiter les concessionnaires Jeep ou d'autos sport comme la RX-7.

Vous désirez rencontrer quelqu'un qui aime le luxe? Passez chez les concessionnaires Mercedes-Benz, Jaguar ou BMW et profitez-en pour faire l'essai d'une voiture de rêve! Qui sait? Un acheteur intéressé vous invitera peut-être à l'accompagner...

Madame, abonnez-vous au magazine *Alaska Men USA*.

Cette revue est publiée quatre fois l'an. On peut y admirer de très beaux hommes libres, disponibles, célibataires et qui recherchent une compagne ou une épouse. C'est amusant à feuilleter et à recevoir. On trouve même dans le magazine des agences de voyages qui annoncent des excursions en Alaska pour rencontrer ces messieurs. Voici l'adresse: *Alaska Men USA,* 205 East Diamond, suite 522, Anchorage, Alaska 99515. Aussi, pourquoi ne pas vous procurer le calendrier «Alaska Men» pour vous rincer l'œil toute l'année? Vous pouvez également admirer les hommes de l'Alaska sur vidéo, laisser un message sur leurs boîtes vocales et même communiquer avec leur gérante, Suzie Carter, pour en faire venir un groupe dans votre ville. Tél.: (907) 522-1492; téléc.: (907) 344-1493.

Allez faire votre lessive à la buanderie au lieu de la faire chez vous ou encore de la confier à votre femme de ménage ou à votre mère.

La buanderie est un lieu où les gens doivent attendre et n'ont souvent rien d'autre à faire que de flâner ou de discuter avec leur entourage. Ne vous limitez pas à celle de votre quartier: fréquentez-en plusieurs dans les quatre coins de la ville et vous verrez ainsi des tas de visages différents. En Californie et dans certains autres États américains, on a même ouvert des bars-buanderies conçus spécialement pour les célibataires! Les hommes peuvent ainsi y lancer une conversation avec une femme qui leur plaît par une simple question ou remarque sur la façon de laver son linge. Tel tissu endure-t-il le séchage à la machine? Tel savon est-il meilleur qu'un autre? Telle couleur va-t-elle ternir à l'eau de Javel?

Dans certains pays du monde, les laveries automatiques publiques sont devenues des lieux de rencontres très prisés auprès des célibataires. Tant et si bien que certaines personnes qui se sont rencontrées en ces endroits ont décidé d'organiser leur cérémonie et leur réception de mariage à «leur» laverie!

À Los Angeles comme dans d'autres grandes villes américaines, on a installé un bar et un comptoir de gâteries dans la buanderie pour inciter les clients à se rencontrer... Quelle meilleure façon de passer le temps en attendant la fin du séchage!

Pourquoi toujours vous limiter à la même laverie automatique? À chaque mois, rendez-vous à plusieurs laveries différentes... Vous y rencontrerez du monde nouveau. Imaginez! En plus d'avoir des vêtements propres, vous vous amuserez follement!

Démontrez votre disponibilité en vous joignant à une organisation de bénévoles.

Que ce soit les enfants, les sans-abri ou les malades, choisissez une cause à laquelle vous croyez et qui vous tient à cœur. Les bénévoles sont souvent des gens libres, disponibles et qui disposent de temps, tout comme vous. Et le bénévolat touche tous les secteurs de l'activité sociale. Au sein de l'équipe, vous rencontrerez généralement des gens généreux et qui ont de belles valeurs.

Joignez-vous à une organisation politique.

Évidemment, il y a toujours beaucoup de monde dans une organisation politique. Il s'y déroule sans arrêt des événements: congrès, réunions, recensements au cours desquels on peut rencontrer bon nombre de gens qui sont disponibles, libres et célibataires. Mettez-vous en évidence au maximum et faites partie des leaders en vous joignant au comité de direction.

Adhérez à une association professionnelle.

Les gens de la plupart des métiers et des professions sont représentés par un syndicat ou encore une association à laquelle on peut se joindre. Ces groupements organisent des activités diverses, notamment des réunions, des réceptions ou des congrès, permettant à leurs membres d'échanger et de mieux se connaître. Proposez votre candidature comme membre du conseil d'administration. Vos fonctions constitueront un défi intéressant et valorisant et vous permettront de connaître rapidement le plus possible de membres.

Quand vous visitez un musée, rendez-vous aussi à la cafétéria et à la boutique.

Ne vous contentez pas de contempler les œuvres d'art. Promenez-vous aussi là où les gens se regroupent pour prendre une pause et pour flâner. Il est facile de lier naturellement une conversation à la cafétéria, en commentant l'exposition en cours, ou à la boutique, en parlant de tous les objets qu'on y propose.

Au théâtre, au ballet ou au concert, profitez de l'entracte pour vous lever et circuler parmi le public.

Ce n'est pas en restant assis que vous rencontrerez des gens. Offrez-vous un verre ou une sucrerie. Avec les gens regroupés autour du bar, participez à la conversation dont le sujet est, bien évidemment, ce que la pièce de théâtre ou le spectacle de votre chanteuse préférée vous réserve après l'entracte.

Lors des soirées, tenez-vous près des hors-d'œuvre ou du bar, l'endroit où circule le plus de monde.

Ainsi, plus de gens vous adresseront la parole et ce sera aussi plus facile pour vous de faire la conversation avec quelqu'un. Profitez de la soirée pour vous promener et faire connaissance avec tout le monde. Ne négligez pas une pause au vestiaire ou à l'entrée de la salle; plusieurs personnes s'y rendent au cours de la soirée afin de prendre l'air ou de sortir de la foule un moment.

Si quelqu'un vous embête parce qu'il vous accapare trop longtemps, excusez-vous tout simplement en lui disant que vous vous étiez promis, en venant à cette soirée, de faire connaissance avec le plus de personnes possible.

Par contre, si vous rencontrez quelqu'un qui vous intéresse, dites-lui que vous aimez bien discuter avec lui et proposez une sortie: «Est-ce que ça te plairait qu'on continue cette conversation mardi prochain au restaurant?» Soyez à l'écoute de la personne afin de connaître ses goûts et de lui suggérer une activité qu'elle sera susceptible d'accepter.

Dans le train, visitez le wagon-restaurant.

Ne mangez pas votre sandwich dans votre car. Allez casser la croûte dans la salle à manger du train. Le voyage vous paraîtra moins long et vous y rencontrerez des gens qui aiment parler et partager leurs expériences de voyage.

À midi, au travail, sortez, ne serait-ce que pour prendre le café.

Si vous apportez habituellement votre repas au travail, allez au moins prendre votre dessert ou votre café à l'extérieur ou encore, profitez-en pour prendre l'air et faire de l'exercice. Allez marcher et observez les gens. Vous aurez l'occasion de voir des visages différents – dites-leur bonjour ou souriez-leur – et votre journée de travail vous paraîtra plus courte et, bien sûr, plus intéressante.

Fréquentez les boutiques et les comptoirs qui s'adressent au sexe opposé.

Messieurs, visitez les comptoirs des parfums des grands magasins. Comment approcher une cliente attirante? Demandez-lui simplement: «Mademoiselle, le parfum que vous essayez présentement me plaît beaucoup. Je cherche un parfum pour ma sœur qui célèbre son anniversaire la semaine prochaine. Elle a environ votre âge et ses cheveux sont blonds comme les vôtres; croyez-vous que ce genre de parfum lui plairait?» Voilà un début de conversation qui offre l'avantage de vous donner une bonne image, celle d'un homme gentil à l'égard des autres, en l'occurrence, votre sœur.

Quant à vous, mesdemoiselles, rendez-vous au comptoir des cravates et dites à celui qui, à première vue, semble répondre à votre idéal: «Monsieur, vous ressemblez beaucoup à mon frère: la même taille, la même grandeur, la même couleur de cheveux... Je suis à la recherche d'une cravate que j'aimerais lui offrir à Noël. Pouvez-vous me dire si celle-ci vous plaît?» Il sera flatté que vous lui demandiez son opinion et vous pourrez ainsi faire sa connaissance en ajoutant: «Je me présente. Mon nom est Claire.» Gardez l'œil bien ouvert et, pour continuer la conversation, commentez favorablement tel ou tel élément de sa tenue vestimentaire qui vous inspire une autre idée de cadeau.

Au fur et à mesure que la conversation se prolonge, il y a des chances que vous découvriez d'autres sujets à aborder, une façon commune à vous deux d'apprécier les choses, une joyeuse complicité qui pourrait être le point de départ d'une proposition, d'une invitation, d'un rendez-vous prochain.

Dans les boutiques qui s'adressent au sexe opposé, dans les magasins de bricolage ou chez le fleuriste, il est courant d'aborder le personnel afin de demander conseil sur un article qui ne nous est pas familier. Que ce soit à propos d'une variété de fleurs pour souligner telle occasion ou d'une pièce d'outillage fort complexe, il importe dès le début de la conversation de donner une image humaine de vous-même, d'être amical et courtois, de transmettre à votre interlocuteur l'idée que votre objectif est de combler le besoin d'une personne qui vous est chère. Cette attitude indique immédiatement à votre interlocuteur que sa participation et ses suggestions seront considérées avec grand intérêt. Par un phénomène d'entraînement, il se peut que le vendeur soit à ce point gagné à votre cause qu'il vous accorde un traitement, une attention particulière.

Encore une fois, la conversation est ici l'élément premier du contact; elle est le véhicule principal qui communique aux autres vos valeurs, vos goûts, l'ensemble de votre personnalité. Par votre conversation, vous exprimez de manière unique et personnelle le genre de rapports que vous voulez entretenir et que vous établissez, peu importe la situation ou les gens qui vous côtoient. Ces rapports peuvent également tenir compte de la clientèle présente lors de vos achats. Le fait de demander son avis à un autre client peut vous amener sur un tout autre terrain; la conversation peut s'engager et vous voilà en train de discuter de choses et d'autres, de faire connaissance, de créer des liens nouveaux avec une personne qui vous est sympathique et qui, en plus, vous plaît énormément. Parfois, le fait de ne rien connaître aux bégonias ou aux sableuses vous rend entièrement disponible à une foule de belles découvertes... et à de magnifiques rencontres!

Inscrivez-vous à des cours du soir.

Les institutions d'enseignement et plus particulièrement les cours pour adultes sont reconnus comme les meilleurs endroits pour rencontrer des gens intéressants. Un cours bien choisi constitue non seulement une sortie régulière et enrichissante, mais également un sujet de conversation additionnel et une façon d'élargir votre réseau d'amis. Les écoles et les universités offrent sur demande des catalogues des cours qu'ils dispensent.

Profitez-en pour joindre l'utile à l'agréable. Choisissez des sujets qui vous intéressent et qui attirent généralement plus de gens du sexe opposé. Vous connaîtrez mieux les autres lors des pauses café, des ateliers de travail, des recherches à la bibliothèque, des sorties de classe et évidemment de la fête de clôture des cours! L'école est un monde où les femmes peuvent tâter de la mécanique automobile, de la navigation ou du parachutisme, des domaines attirant principalement des hommes. Quant à ces derniers, ils pourraient apprendre la couture, le design ou la cuisine, entourés d'une majorité de femmes. À votre choix!

Devenez membre d'un club de santé.

Avant de choisir votre club de santé, visitez-en quelques-uns de différents calibres, visant des clientèles variées. Lors de ces visites exploratoires, profitez-en pour parler à ceux qui fréquentent déjà le club qui vous intéresse. Prenez votre temps pour poser des questions sur la propreté du club, les activités offertes et la vie sociale des membres.

Fréquentez votre club pour faire de l'exercice, nager et être en forme, bien sûr, mais aussi pour discuter avec les autres membres, pour boire et pour manger. La plupart des clubs de santé offrent des horaires permettant des rencontres le matin avant les heures de travail, ou encore à l'heure du dîner ou bien en quittant le travail le soir.

De plus, un aspect non négligeable de la mise en forme est que vous rendrez votre corps svelte et ferme, et développerez des muscles bien tonifiés, des atouts indéniables pour acquérir une apparence attirante.

Visitez les centres de ski ou les clubs de golf et de tennis et ce, même si vous ne pratiquez pas ces sports. Et ne négligez pas les marinas.

Il y a toujours beaucoup de vie dans les clubs sportifs. On y trouve un bar, un restaurant ou des boutiques. Les clubs sportifs sont des endroits très fréquentés par des célibataires ou des gens libres. L'ambiance qui y règne est généralement joyeuse et animée.

Assistez à des mariages, à des réunions, à des fêtes de famille ou à des rassemblements d'anciens étudiants.

Vous y retrouverez des gens que vous n'avez pas revus depuis longtemps. Rappelez-vous qu'il est facile de rencontrer de nouveaux partenaires potentiels grâce à des parents lors d'une réception de mariage où l'atmosphère se prête bien aux présentations. Peut-être aurez-vous l'agréable surprise d'y faire la rencontre d'un membre ou d'un ami de «l'autre» famille? Stéphane, un Montréalais, s'est rendu avec sa mère à Toronto pour assister à un mariage dans la famille du nouvel ami de sa mère. Il y a rencontré Maria Luisa, la cousine du marié, qui lui a plu énormément. Stéphane et Maria Luisa ont fait connaissance, puis ils se sont mis à se visiter régulièrement. Un an plus tard, Stéphane déménageait à Toronto. L'année suivante, c'est leur propre mariage qu'on a célébré.

Soyez à l'affût des séminaires et des cours sur les relations, destinés aux célibataires et aux couples. Recherchez des cours de développement personnel.

Il existe toutes sortes d'ateliers pour célibataires, conçus pour les aider à surmonter leur timidité et cultiver leur entregent, et augmenter ainsi leurs chances de rencontrer le partenaire idéal. Un nombre de plus en plus grand d'organismes offrent ce type de cours aux adultes. Certains cours ou séminaires aux États-Unis portent même des titres épicés, du genre: «Comment rencontrer un homme beaucoup plus jeune», pour ne fournir qu'un exemple.

Choisissez un titre de cours qui vous semblera pouvoir enrichir votre développement personnel. Mieux vaut lire attentivement la description du cours: les titres sont parfois trompeurs... Vérifiez les références de l'animateur, les antécédents du cours ainsi que son taux d'affluence. Si le taux d'affluence est élevé depuis plusieurs semestres, c'est bon signe!

Vous apprécierez ou tirerez sans doute un bénéfice personnel de ces séminaires et ateliers, mais une autre raison d'y participer, c'est aussi d'y rencontrer des gens du sexe opposé. Et de découvrir ce que font d'autres célibataires! Si vous saviez tout ce que vous pourriez apprendre, chemin faisant, auprès de ces autres célibataires!

Vérifiez s'il y a des partenaires potentiels dans votre milieu de travail.

Puisqu'on y passe plusieurs heures par semaine, le milieu de travail est très propice à la rencontre d'un partenaire. Il peut s'agir d'une personne qui travaille dans le même édifice que vous, dans le même centre industriel, ou de quelqu'un avec qui vous avez des rapports téléphoniques ou qui passe régulièrement à votre bureau dans le cadre de son activité professionnelle. Rappelez-vous qu'aujourd'hui, sortir avec un collège de travail n'est pas mal perçu comme c'était le cas autrefois, alors que l'on comptait beaucoup plus d'hommes au travail que de femmes. On peut donc se faire des amis tout en gagnant sa vie.

Il y a même quelques avantages à choisir comme partenaire amoureux une personne avec laquelle vous travaillez. Vous pouvez bien évaluer son caractère, ses goûts et ses habitudes; vous pouvez constater comment elle réagit au stress, comment elle s'entend avec les autres, si elle est positive, travaillante et généralement de bonne humeur. Vous pouvez voir s'il s'agit d'une personne responsable, honnête, bien organisée, ponctuelle. Vous pouvez apprendre à connaître cette personne graduellement, cinq jours par semaine, huit heures par jour. Si vous êtes capable de vous supporter réciproquement et harmonieusement pendant tout ce temps, il y a de bonnes chances que votre relation amoureuse survive également à l'extérieur du bureau. Vous pouvez connaître ses antécédents et savoir facilement si elle est libre; vous êtes toujours propre et bien mis, voire élégant, lorsque vous vous rencontrez puisque vous vous habillez très bien tous les deux pour exercer votre métier ou votre profession; vous ne vous inquiéterez jamais de savoir si vous verrez à nouveau la personne, si elle vous rappellera. Vous savez à quels moments vous risquez le plus de vous rencontrer; vous avez des intérêts communs et vous connaissez les mêmes gens.

Cependant, il est important de bien réfléchir avant de vous engager dans une relation avec un collègue de travail. Quelques précautions s'imposent. Gardez vos petits mots affectueux, vos noms d'amour et vos épanchements amoureux pour la maison. N'oubliez pas qu'au travail, la discrétion est de mise dans votre comportement l'un envers l'autre. Vos emplois respectifs ne devront jamais souffrir de votre relation.

Il est important que vous réfléchissiez à la question suivante: comment allez-vous vous comporter à la suite d'une querelle? Disons que vous avez eu une querelle d'amoureux la veille et que vous vous retrouvez le lendemain, face à face, dans le même bureau... Quelle sera votre attitude?

Avant d'entreprendre une relation sentimentale avec un collègue, envisagez de façon réaliste la possibilité de désaccords occasionnels, voire d'une rupture.

Soyez bien conscient qu'après une rupture, il est toujours très difficile de revoir chaque matin quelqu'un que l'on veut essayer d'oublier... On ne veut plus y penser, mais on l'a toujours sous les yeux.

Il faut bien réfléchir également avant d'entrer dans une relation sentimentale entre un supérieur et un subalterne, une relation patron-secrétaire, par exemple. Si le supérieur est un homme et la subalterne une femme, et qu'elle décide de rompre, elle peut craindre des réactions de harcèlement sexuel, phénomène qui existe dans le milieu du travail. De plus, elle court le risque que son ex-prétendant bloque son avancement à l'occasion de concours ou de promotions.

Évitez si possible d'avoir des relations avec des collègues mariés. Vous pouvez en souffrir et votre image au bureau sera vivement ternie si la chose est découverte. C'est d'ailleurs un milieu où il est souvent difficile de cacher très longtemps ce genre de relation.

Si une relation avec un collègue de travail que vous aimez beaucoup et que vous voyez tous les jours se termine abruptement, vous pouvez être affligé d'un grand stress qui affectera votre rendement professionnel. Ce sont donc des question auxquelles il est important de réfléchir avant de s'engager dans des amours de bureau, car on sait quand l'aventure commence, mais on ne sait ni où ni comment elle se terminera.

Quelques conseils utiles pour concilier votre «idylle de bureau» avec votre carrière.

La dernière chose que vous voulez subir lorsque vous avez une aventure au bureau, c'est le potinage, les critiques, la jalousie et la malveillance en général. Vous pouvez éviter ces pièges en gardant à l'esprit les conseils suivants:

• Au travail, comportez-vous toujours de façon professionnelle, afin que vos collègues et superviseurs n'aient aucune raison de blâmer votre aventure s'il survient une baisse de productivité.

• Exposez très clairement et très sérieusement vos objectifs de carrière à vos collègues. Dites-le si, par exemple, vous prenez des cours de développement personnel ou une formation précise pour faire avancer votre carrière.

• Allez luncher avec vos collègues plus souvent qu'avec votre flamme.

• Lorsque vous assistez à des rencontres ou à des séminaires, évitez de vous asseoir l'un à côté de l'autre.

• Évitez de vous appeler par vos surnoms, de vous bécoter, de vous prendre par la main ou de faire d'autres signes évidents d'affection durant les heures de travail.

• Si vous partez tous les deux en voyage d'affaires, demandez des chambres à deux étages différents de l'hôtel, ou encore inscrivez-vous à deux hôtels différents.

• Ne quittez pas toujours le bureau ensemble à la fin de la journée, et n'arrivez pas ensemble le matin, à moins que vous ne fassiez tous deux partie du même réseau de covoiturage!

Aujourd'hui, dans la plupart des compagnies, une idylle au bureau n'est plus affligée de la même mauvaise réputation qu'autrefois. Même si un grand nombre d'employeurs ont adopté des politiques formelles interdisant les idylles au bureau, certaines autres sociétés, elles, embauchent les couples mariés. Si vous avez l'intention de vous marier, prenez connaissance de la politique de votre compagnie!

Gardez à l'esprit que tout problème relié au travail risque d'être mis au compte de votre idylle de bureau: ne révélez pas avec enthousiasme les détails de vos fréquentations à vos collègues, et ne vous couvrez pas d'affection mutuelle durant les heures de travail! L'aspect romantique de votre relation, réservez-le à votre intimité, à l'extérieur du bureau... et surtout, ne négligez jamais votre travail!

Supposons que vous aimiez véritablement votre travail, et que votre carrière décolle enfin. Une nouvelle personne fait alors son entrée au bureau, et vous voilà vraiment attirés l'un vers l'autre. Le sentiment est mutuel, et vous sortez ensemble une première fois: vous allez au cinéma, vous allez dîner. À la fin de la soirée, vous réalisez que cette relation ne vaut pas le risque de perdre un merveilleux emploi. Que faire? Le lendemain, comportez-vous de façon agréable, mais évitez de vous engager à de nouveaux rendez-vous avec cette personne.

Soyez particulièrement prudent en ce qui concerne les fréquentations avec des collègues mariés... Les conséquences nuiraient de façon irréparable à votre réputation. Gardez à l'esprit qu'une idylle de bureau n'est jamais vraiment secrète: il y aura toujours quelqu'un autour de vous qui «vendra la mèche»! Tôt ou tard, peu importe votre degré de prudence, quelqu'un découvrira l'affaire et toutes sortes de rumeurs à votre sujet circuleront dans tout le bureau.

Alors, allez-y, cherchez les partenaires potentiels au travail. Mais songez aux répercussions!

Que faire si votre histoire d'amour se détériore et que vous deviez quand même continuer à travailler ensemble.

Le chemin de l'amour est souvent tortueux, si l'on en croit un vieux dicton. Mais que faire si l'orage s'abat alors que vous avez une liaison avec un collègue de travail? Surtout pas de panique! Demeurez poli, civilisé et gardez votre sens de l'humour. Par-dessus tout, évitez de laisser paraître vos émotions durant les heures de bureau, même si vous voyez rouge à la seule vue de votre ex-flamme. Ce n'est ni le lieu ni le moment de faire une scène. En conservant une attitude professionnelle, vous vous distancierez des événements. Par la suite, quand vous maîtriserez mieux vos émotions, vous serez plus à même de décider des mesures à prendre en ce qui concerne cette relation.

En agissant calmement et de manière professionnelle, vos supérieurs seront en mesure d'évaluer comment vous gérez les situations de stress. Rien ne dit que la mutation ou la promotion tant attendue ne se matérialisera pas et ne viendra pas résoudre de façon permanente votre problème de savoir comment continuer à travailler au même endroit que votre ex-partenaire.

Que faire si votre superviseur ou votre patron vous fait des avances malgré vous? Comment traiter le harcèlement sexuel.

Il est difficile de traiter cette situation avec tact et ressource lorsque votre premier réflexe est de rire, de courir, d'éclater en larmes ou de gifler l'autre! Par ailleurs, en gardant votre calme et votre attitude professionnelle, vous pourrez non seulement avoir la situation en main, mais vous pourrez la transformer à votre avantage.

Vous pouvez répondre «non» à l'invitation de quelqu'un sans blesser son ego. Il vous suffit de lui donner une explication qui démontrera que vous êtes une personne sérieuse et ambitieuse: «Je n'ai vraiment pas un seul instant de loisir en ce moment: je prends des cours du soir pour faire avancer ma carrière. Ma charge de travail ne me laisse présentement aucun moment libre pour avoir des fréquentations amoureuses.»

Si l'autre continue de vous demander avec insistance de sortir avec lui, énoncez alors clairement votre position au moyen d'un «non» ferme. Ne dites rien que vous puissiez regretter, n'essayez pas de l'humilier, car cela pourrait mettre votre carrière en péril. En réagissant de façon agréable mais ferme, vous gagnerez son respect. Et son amour-propre restera intact, parce que vous aurez pris ses sentiments en considération en rejetant son approche. Par-dessus tout, agissez de façon professionnelle, et faites en sorte de ne jamais avoir de rapports personnels avec lui après les heures de travail, pas même pour aller prendre une collation ou un verre.

Comment faire connaissance avec quelqu'un qui travaille dans le même édifice que vous et que vous ne connaissez pas?

Il peut s'agir de quelqu'un à qui vous dites «Bonjour!» tous les jours dans le couloir mais dont vous ne savez rien. En premier lieu, vous devez vous organiser pour découvrir son nom et glaner des renseignements; remarquez à quel étage il sort de l'ascenseur; essayez de déterminer pour quelle compagnie il travaille; bref, faites votre petite enquête et jouez au détective.

À la prochaine rencontre, au lieu de lui dire simplement «Bonjour!» comme d'habitude, vous lui direz: «Bonjour, Alain!», ce qui risque fort de l'intriguer...

En troisième lieu, efforcez-vous de découvrir d'autres particularités le concernant, par exemple, s'il possède un bateau, etc. Ainsi, un beau lundi matin, vous pourriez lui lancer à l'improviste: «Il faisait vraiment un temps idéal pour faire de la voile en fin de semaine...» Vous l'intriguerez certainement de plus en plus. Poursuivez en lui demandant son opinion sur un détail concernant les sports nautiques. N'oubliez pas que les gens se sentent toujours valorisés lorsqu'on leur demande leur avis.

Si vous désirez rencontrer des gens du sexe opposé, sortez et draguez, mesdemoiselles!

Fréquentez les clubs de jazz, ou encore rendez-vous à des événements sportifs tels que des parties de hockey, de baseball, de football ou de soccer, des compétitions de course automobile ou encore allez dans un de ces restaurants où les gens regardent des matchs sportifs sur écran géant. Comme vous pouvez le devinez, un endroit de ce genre accueille beaucoup d'hommes et de ce fait constitue pour la femme un excellent lieu de rencontre. Mais attention! Car pour les véritables amateurs de sport, la diffusion d'un match, c'est sacré! On écoute en silence! Alors, gardez-vous de les déranger en leur faisant la conversation pendant ce qui pourrait être le «jeu du match»... Attendez plutôt les intermissions ou les moments plus calmes.

Messieurs, vous désirez rencontrer des femmes par milliers?

Procurez-vous un billet pour assister à un spectacle de Roch Voisine. Les spectacles des vedettes rock se tiennent habituellement dans des salles très vastes. Environ 90 p. 100 des milliers de spectateurs sont de la gent féminine. Que ce soit avant le spectacle, à l'intermission ou encore à la fin de la soirée, en vous mêlant à la foule joyeuse, euphorique et animée, vous aurez la chance de faire de nouvelles connaissances.

Organisez une soirée pour souligner le grand tour cycliste, la coupe Stanley, la coupe Grey ou le Grand Prix, ou simplement la victoire de votre équipe sportive préférée.

Placez les meubles de votre salon de façon que tous voient l'écran de télé. Les gens viennent chez vous, chacun apporte un plat, de la bière ou du vin, ou encore, vous préparez de la pizza ou des ailes de poulet et les invités peuvent apporter leurs boissons.

Rappelez-vous qu'on écoute le match religieusement par respect pour les fervents du sport; après, la fête commence! Il convient d'être respectueux de ceux qui sont très intéressés par le match... donc, de faire bien attention pendant l'émission de ne pas trop parler, surtout de sujets qui n'ont aucun rapport avec la partie ou la course qui monopolise l'attention des adeptes du sport. Si vous organisez une soirée-rencontre sur un thème sportif, vous vous verrez plus ou moins obligé d'écouter jusqu'au bout les commentaires des «mordus», surtout si, non contents d'être des fans «tout yeux et tout oreilles» pour l'écran, vos invités pratiquent eux-mêmes le sport en question. Une fois la partie terminée, on peut (enfin!) sortir la boustifaille et parler d'autre chose.

Dans les cocktails ou à la discothèque, arrivez en premier et sélectionnez la place où vous serez le plus en vue, et d'où vous serez à même d'observer la «faune» qui fréquente l'établissement.

Mesdames, vous serez ainsi aux premières loges, tant pour voir que pour être vues et ainsi être invitées à danser, cette place de choix devant vous aider à mieux sélectionner vos favoris parmi la foule des prétendants. Par ailleurs, une femme peut très bien inviter un homme à danser avec elle. De nos jours, cette pratique est tout à fait bien acceptée, et les hommes sont généralement flattés par une telle invitation. Après tout, au lieu d'attendre passivement qu'on la remarque, pourquoi la femme n'aurait-elle pas aussi le loisir de choisir ses partenaires de danse? Vous pouvez également, sans avoir l'air ridicule, aller danser seule sur la piste avec tout le monde, et un partenaire vous y rejoindra peut-être.

Une mise en garde cependant: parfois, les gens qui fréquentent les bars et les discos sont là pour danser et s'amuser follement le temps d'une soirée et ne recherchent pas nécessairement une relation durable. Souvent, les hommes qu'on y rencontre, particulièrement en semaine, ne sont pas libres: ils ont une partenaire régulière la fin de semaine et sont à la recherche d'une aventure d'un soir. Cependant, de nos jours, ceux qui fréquentent les bars et surtout les discothèques le font plutôt pour danser et pour écouter la musique. C'est leur but premier, ou tout au moins leur première intention...

Partez seul en vacances, au Club Med ou en croisière, à la montagne ou en voyage organisé pour célibataires.

Demandez de partager une chambre avec quelqu'un qui a environ votre âge, le même style de vie que vous et un niveau de vie semblable au vôtre. D'une part, le partage d'une chambre coupera vos frais et, d'autre part, vous vous retrouverez avec un compagnon ou une compagne de chambre avec qui parler lorsque vous en aurez le goût. Si les rapports avec la personne en question ne sont guère intéressants, vous aurez au moins fait des économies... S'ils deviennent intenables, il sera toujours temps de demander au chef du village, au directeur de la station ou au gérant de l'hôtel de changer de chambre.

En résumé, si vous avez le temps et les moyens de prendre des vacances, ne vous en privez surtout pas pour la simple raison que vous n'avez pas de conjoint, au contraire! En voyageant seul, vous le serez rarement! Vous serez étonné de constater à quel point les gens vous approcheront justement pour cette raison. Ils viendront vous parler, vous offriront de les accompagner, etc. En outre, vous serez vous-même davantage incité à aller vers les gens!

Si vous n'avez ni le temps ni l'argent nécessaires pour prendre des vacances, vous pouvez toujours partir pour un week-end.

En deux jours, vous pouvez rencontrer quantité de gens intéressants. Cela dépend de votre attitude et de l'endroit que vous choisissez. Soyez positif... Même si vous ne rencontrez pas LA personne, vous aurez du moins une chance d'exercer votre entregent et de changer de paysage! Participez au plus grand nombre d'activités possible, vous n'êtes pas là pour dormir, mais pour fêter! Choisissez toutes les occasions de faire connaissance avec un partenaire amoureux potentiel. Donnez votre numéro de téléphone à tous les gens intéressants que vous rencontrerez; c'est une roue qui tourne, ils vous en présenteront peut-être d'autres! Mais si quelqu'un vous plaît vraiment, assurez-vous qu'il habite à une distance raisonnable de chez vous... une relation à distance peut s'avérer une aventure très solitaire!

Un week-end seul dans un endroit populaire et bien fréquenté, loin du travail et des distractions quotidiennes, est une stratégie valable pour rencontrer des gens du sexe opposé. Essayez... vous finirez peut-être par revenir au même hôtel ou au même lieu de villégiature l'année suivante, pour marquer votre premier anniversaire avec l'élu ou l'élue de votre cœur...

Apprenez la danse sociale.

Commencez par quelques pas... Des cours de danse vous offriront l'occasion de rencontrer une autre catégorie de partenaires, surtout si vous parvenez à apprendre toutes les danses. Il est quand même dommage, au cours d'une soirée, lorsqu'on vient vous demander à danser, d'être dans l'obligation de refuser une envolée sur la piste simplement parce que vous ne savez pas danser. Alors, apprenez le plus grand nombre de danses possible: la valse, la samba, la rumba, le cha-cha-cha ou bien le tango argentin.

D'ailleurs, la danse sociale revient en force et deviendra vraisemblablement de plus en plus populaire. On remarque déjà que plusieurs établissements se spécialisent dans ce type de danse. Certaines de ces salles sont si vastes qu'elles peuvent contenir près de 1000 personnes. Pensez-y! Des milliers de nouvelles personnes à connaître et avec qui danser! Alors, hâtez-vous! Faites le premier pas vers une école de danse et les autres suivront...

Organisez chez vous une soirée dont le prix d'entrée consiste à amener une personne célibataire et disponible du sexe opposé.

Invitez une quinzaine d'amis ou de connaissances et vous compterez 30 participants à votre soirée: 15 personnes libres accompagnant vos invités. Évidemment, chacun aura pour agréable tâche de présenter la personne célibataire qui l'accompagne à tous et chacun au cours de la soirée. Voilà une excellente façon de rencontrer de nouveaux célibataires. De plus, vous êtes assuré d'avoir un groupe bien équilibré: moitié hommes, moitié femmes. Si vous manquez d'amis célibataires, vous pouvez toujours inviter un couple, mais à la condition *sine qua non* que deux personnes disponibles les accompagnent et ce, afin d'agrandir votre «banque» de célibataires pour la soirée.

Installez-vous dans un parc pour faire du dessin, de la peinture ou de l'aquarelle.

Les gens viendront tout naturellement à vous et s'intéresseront à ce que vous faites. En effet, les «artistes» suscitent habituellement un vif intérêt chez les curieux et les promeneurs du dimanche. Votre création devient alors un excellent sujet de conversation qui vous permet de parler non pas de vous ni des autres, mais bien du contenu de votre œuvre. Vous ne savez pas peindre? Amusez-vous à «barbouiller» la toile avec «grand art» et avec le même sérieux que les vrais peintres. Vous verrez, ça marche à tout coup!

Osez traverser les frontières traditionnelles qui existent entre les sexes: apprenez des trucs originaux qui vous feront ressortir de la foule.

Paul a suivi ce conseil et s'est mis au tricot. «Quand j'ai appris à tricoter, au cours de mes années d'université, mes intentions étaient strictement thérapeutiques. J'étais un étudiant agité, et le tricot représentait pour moi un changement agréable par rapport à ma thérapie précédente, qui consistait à pétrir sans cesse une boule de pâte à modeler. En tricotant, je ne m'attendais pas à attirer l'attention outre mesure. J'avais tort. Chaque fois que mon tricot faisait son apparition, il attirait un public appréciateur et largement féminin. Durant les mois que j'ai consacrés à tricoter un cardigan jaune, j'ai même retenu autant l'attention que les jongleurs et les musiciens de rues à l'extérieur du pavillon de l'association étudiante! J'ai bientôt découvert qu'une paire d'aiguilles à tricoter, entre les mains d'un homme, non seulement attire la curiosité, mais rassure une femme, suscite son admiration, et est une façon tout à fait amusante de l'amener à s'intéresser à MOI!

«Je suis constamment étonné de constater l'intérêt et l'admiration quasi illimitée qu'une femme accorde à un homme qui confectionne ses propres pulls. Dès que je sors mon tricot de son sac, toutes les pensées du genre "Mais qu'est-ce qu'un homme peut bien faire avec un tricot?" se noient instantanément dans un flot de sympathie et de pure admiration! La folie atteint des proportions presque comiques lorsque je visite une boutique de laine, où les clients masculins se font généralement traiter comme des enfants perdus à la recherche de leur mère! Même dans la boutique de laine du quartier, où je me rends régulièrement, on fait tout pour m'aider! Des clientes attendent patiemment au comptoir pendant que les trois vendeuses s'occupent de moi. "Quel homme adorable!" murmurent-elles quand je pars. "Il ferait un merveilleux mari!"... J'adore ça!»

Utilisez vos talents et votre habileté professionnelle dans votre vie amoureuse.

Dans quel domaine excellez-vous au travail? Votre habileté première est de bien vous exprimer au téléphone?

... Laissez des messages spirituels sur les répondeurs des personnes dont vous venez tout juste de faire la connaissance. Votre voix sensuelle et vos propos intelligents les séduiront à coup sûr!

Vous avez du talent en marketing?

... Servez-vous de votre imagination pour capter l'attention des personnes qui vous fascinent.

Parlez-vous bien en public?

... Utilisez vos talents de conteur au cours des réunions sociales. Vos histoires drôles feront sans doute de vous le centre d'attraction de la fête!

Nous excellons tous dans un domaine au moins. Il s'agit donc que vous transposiez ces talents dans votre vie amoureuse et que vous les utilisiez à bon escient pour que celle-ci devienne meilleure et plus agréable.

... Impressionnez cette superbe personne avec vos talents et votre imagination!

Donnez une seconde chance à un partenaire potentiel.

Supposons qu'à l'occasion d'une première rencontre, vous n'êtes pas certain que la personne réponde à vos attentes ou à vos désirs. Rappelez-vous qu'une première impression est souvent trompeuse! Acceptez de revoir cette personne. Peut-être était-elle tout simplement nerveuse la première fois; c'est normal. Nous sommes souvent anxieux en pareilles circonstances; nous risquons de l'être d'autant plus que la personne nous plaît énormément. Nous ne sommes plus tout à fait nous-mêmes... et les mots pour exprimer nos sentiments restent coincés dans notre «cœur-ascenseur»!

La nervosité est un alibi de bon aloi! Après une première expérience, il est très possible que la personne soit plus décontractée et que, la connaissant un peu mieux, vous la voyiez avec des yeux différents. D'ailleurs, combien de fois n'avez-vous pas vous-même souhaité que les autres vous accordent une seconde chance que, souvent, ils vous ont refusée?

Il est fort possible que votre partenaire, lors du premier rendez-vous, ait commis quelques gaffes, quelques bévues. Cependant, rappelez-vous que l'erreur est humaine. Il importe donc de vous relaxer afin de communiquer la même sensation d'aisance et de détente à votre partenaire. Il appréciera votre attitude et vous en sera reconnaissant, soyez-en sûr.

Il existe une catégorie de gens qui méritent particulièrement une deuxième chance. Il s'agit de ceux qui essaient d'en faire trop dès le premier rendez-vous. Pourquoi? Parce qu'ils veulent tellement vous plaire! Souvent inoffensifs, ils sont pour la plupart victimes de leur nervosité. Débordant en tous sens, elle provoque chez eux des excès aux traits caractéristiques suivants: ils parlent trop et souvent trop fort, ils rient pour des riens, ils abordent des sujets parfois irritants ou déplacés, ils n'utilisent que des superlatifs pour décrire vos qualités, votre beauté, etc. Il est bon de prendre un temps de réflexion avant de condamner ces grands maladroits aux foudres de Jupiter. Un verdict fondé sur des premières impressions, voilà bien souvent l'origine des erreurs judiciaires. Et Cupidon, là-dedans? Il a droit lui aussi à la parole et, pour plaider sa cause, il lui faut un second temps... celui de la réplique!

La vie serait extraordinaire si nous étions tous des amoureux à l'image de Roméo et Juliette mais tel n'est pas le cas. L'amour idéal et parfait n'est pas de ce monde... Qui plus est, l'épanouissement des êtres ne se règle pas comme les aiguilles d'une montre. Certains sont plus lents que d'autres à atteindre leur plein développement.

Malgré votre hésitation, c'est pour toutes ces raisons que vous devez accorder à l'autre cette fameuse seconde chance...

En revanche, d'autres diront qu'il y a des choses qui sautent aux yeux dès la première rencontre, un point, c'est tout! Que dire dans ce cas sinon que l'intuition est bonne conseillère, et qu'il est judicieux d'être à son écoute?

Soyez indulgent à l'égard de ceux qui vous abordent avec un cliché.

Bien sûr, les clichés classiques tels que: «Ne s'est-on pas déjà rencontré quelque part?» ou encore: «Quel est votre signe?» constituent des approches un peu banales. Peut-être la personne qui vous aborde de cette façon est nerveuse à l'idée de vous parler, ou est peut-être tout simplement fatiguée de sa quête jusqu'alors infructueuse, ce qui peut expliquer son manque d'imagination. Donnez-lui au moins le crédit d'avoir essayé de lancer la conversation et tentez de la mettre à l'aise. Continuez à parler avec cette personne un moment afin de découvrir si elle a plus à vous offrir sur le plan de la conversation. Vous aurez peut-être une très agréable surprise.

Complimentez l'autre, admirez-le, encouragez-le.

Il n'y a pas façon plus merveilleuse de faire les premiers pas ou d'entamer une conversation que de complimenter l'autre et de lui servir quelques belles paroles sur un plateau d'argent. Un compliment bien placé fait un immense plaisir, puisqu'il s'adresse directement à l'ego de la personne, lui fait sentir ce petit velours dans l'intimité de son être. Car, n'avons-nous pas besoin, tous sans exception, d'être valorisés par notre partenaire?

S'adresser à l'autre en des termes admiratifs, voilà une excellente façon d'attirer et de gagner son attention. Encore faut-il veiller à ce que nos propos soient l'expression sincère de notre pensée. Comment éviter les fausses envolées lyriques? D'abord, ne cherchez pas midi à quatorze heures! Un détail précis chez l'autre, que ce soit sa coiffure, l'éclat particulier de ses yeux ou la douceur de son sourire, bref, ce petit quelque chose hors de l'ordinaire est en soi une source d'inspiration fiable et sûre quand vient le temps de lui exprimer spontanément votre admiration. Vous pouvez même faire un compliment sur l'apparence d'une personne que vous ne connaissez pas.

Lorsqu'on connaît mieux une personne, on peut la complimenter sur sa voix, sa façon de s'exprimer, sa philosophie de la vie, son souci d'autrui, etc. Si votre futur (espérons-le) partenaire a, d'une part, de très beaux yeux et, d'autre part, une vaste culture cinématographique, lancez-lui la phrase célèbre de Jean Gabin à Michèle Morgan dans *Quai des brumes*: «T'as d'beaux yeux, tu sais!» Et votre cinéphile de partenaire, littéralement subjugué, pourrait bien vous souffler la réponse de Michèle Morgan presque sans réfléchir: «Embrasse-moi!»

Ne faites pas que penser du bien de la personne que vous avez devant vous: dites-le-lui! Un compliment ne coûte rien et valorise celui qui le reçoit. Voilà une autre raison d'observer votre partenaire potentiel et de demeurer à son écoute. Admirez-le, encouragez-le, félicitez-le de ses succès, que ce soit au travail, sur le court de tennis ou ailleurs, de façon à alimenter l'admiration, une composante si utile aux relations amoureuses. Il faut admirer quelqu'un que l'on aime car lorsqu'on cesse d'admirer, on cesse souvent d'aimer...

Sachez aussi accepter les compliments qu'on vous fait, surtout si vous avez tendance à vous dévaloriser.

Vous reconnaissez-vous dans les exemples qui suivent? «Tu as de très beaux cheveux aujourd'hui.» «Bah! Ça fait trois jours que je me suis lavé la tête»; ou encore: «Ta robe est vraiment belle!» «C'est une vieille robe! Ça fait quatre ans que je l'ai!» Ce sont de bons exemples de dépréciation de soi-même que plusieurs d'entre vous ont certainement reconnus. Ne détruisez pas les compliments que vous fait l'autre et ne lui gâchez pas la joie qu'il éprouve à vous faire plaisir. Répondez-lui plutôt: «Merci! Justement, je regardais ta cravate et je trouvais qu'elle t'allait très bien...» C'est l'art de savoir accepter et retourner les compliments qu'on vous fait.

Soyez flexible; adaptez-vous aux changements de dernière minute.

Il vous avait invitée au cinéma et, au dernier moment, il veut vous entraîner chez des amis à lui... Montrez-vous *cool,* ne soyez pas trop austère, trop rigoureuse. Le cinéma sera encore là demain, mais pas forcément ses amis. Et puis, voilà encore d'autres gens à connaître!

Sortez de votre routine.

Changez, par exemple, l'horaire de vos emplettes et vous rencontrerez ainsi d'autres gens. Vous avez l'habitude d'aller chez le nettoyeur tous les samedis matin à 11 h avant d'aller bruncher? Allez-y à d'autres heures, d'autres jours. Pour sortir de votre routine, un bon conseil: acceptez le fait évident que votre qualité de vie n'en souffrira pas, au contraire! Évitez de rester coincé à la maison pour un simple téléroman; votre confort au foyer ne s'effondrera pas parce que vous avez raté un épisode de *Dallas* ou un match de hockey. Procurez-vous un magnétoscope, programmez l'enregistrement de votre télésérie préférée et sortez. Il sera toujours temps le lendemain ou plus tard de visionner votre émission. Dans le même ordre d'idée, afin de modifier votre routine, partez 15 minutes plus tôt pour le travail. Permettez-vous de suivre un nouvel itinéraire; vous croiserez ainsi d'autres gens avec qui vous aurez peut-être envie de faire connaissance. Ne prenez pas votre repas à la même place tous les midis et, surtout, ne mangez pas à l'endroit où vous travaillez. Fréquentez des endroits variés et, si votre emploi le permet, mangez à des heures différentes.

Votre routine est certainement agréable et rassurante, mais, à la longue, l'ennui peut s'installer et vous passerez à côté de bien des choses excitantes. Ce n'est pas facile de sortir d'une routine, mais si vous ne parvenez pas à briser la vôtre au moins en partie, vous ne saurez jamais ce qui aurait pu vous arriver si vous étiez passé à l'action. Débarrassez-vous donc de vos vieilles habitudes!

Dans le film *Shirley Valentine,* on retrouve un exemple d'une personne très routinière. Le mari de Shirley fait un gros caprice en refusant de manger des œufs, un mardi soir. Pourquoi? «Parce que», s'exclame-t-il, «le mardi soir, c'est le soir du steak haché... et les œufs, c'est le jeudi soir!» Le cher homme fait une autre scène parce qu'à 18 h 15, sa femme n'a pas encore préparé son thé... ce à quoi elle répond: «Si, pour une fois, tu prenais ton thé à 18 h 20 au lieu de 18 h 15, peut-être que ta vie deviendrait plus excitante...?» L'écrivain français Pierre Reverdy affirme qu'«il faut prendre très tôt de bonnes habitudes, surtout celle de savoir changer souvent et facilement d'habitudes»...

Portez des couleurs qui vous avantagent, qui améliorent votre apparence et qui attirent les regards sur vous.

Les couleurs donnent des effets précis. Par exemple, le violet est la plus puissante de toute la gamme des couleurs. Donc, si vous désirez projeter une image de leadership devant un groupe, le violet est la couleur à porter par excellence. Vous, mesdames, pouvez opter pour la tenue violette au grand complet. Quant à vous, messieurs, vous trouverez toute une panoplie de cravates et de pochettes aux accents violets.

Quant au rouge, c'est une couleur excitante qui stimule. Un spécialiste d'un hôpital psychiatrique avait peint tous les murs de son bureau, à la maison, en rouge, parce qu'il voulait que son environnement le stimule dans son travail. C'est aussi une couleur qui augmente l'appétit; c'est l'une des raisons pour lesquelles tant de restaurants l'adoptent ou l'intègrent à leur décor. C'est une couleur attirante, vibrante et gaie que l'on retrouve, bien sûr, dans le temps des Fêtes.

Les psychiatres affirment que la couleur bleu pâle est la couleur qui prédispose le mieux au sommeil. Par conséquent, c'est la couleur idéale pour une chambre à coucher. C'est la couleur du calme par excellence.

Portez des couleurs qui embellissent votre apparence et qui vous avantagent, particulièrement les jours de pluie ou certains matins où vous vous sentez moche. Les jours où vous avez le cafard, où vous vous sentez fatigué ou encore lorsque le temps est triste et gris, portez les vêtements les plus éclatants de votre garde-robe. Attention aux couleurs plutôt mornes comme le beige. Voilà une couleur qui n'a rien pour faire poindre le soleil un jour de pluie! Optez plutôt pour le rouge coquelicot, le bleu électrique, le vert émeraude, des couleurs vibrantes qui dégagent dynamisme et énergie.

Afin de choisir, à l'avenir, les coloris appropriés pour vos tenues vestimentaires et pour vos accessoires, pourquoi ne pas vous offrir une consultation professionnelle auprès d'une conseillère qualifiée? En étudiant la pigmentation de votre peau, elle déterminera quelle est «votre saison». Les personnes dont le teint est rosé/bleuté sont généralement des «étés» ou des «hivers». Celles qui ont une peau plutôt dorée sont en principe des «printemps» ou des «automnes». Après avoir déterminé «votre» saison, la conseillère vous indiquera la palette exacte de couleurs qui vous avantageront le plus. Ainsi, vous saurez mieux vous mettre en évidence et rehausser votre apparence pour lui donner cette élégance tant recherchée. Tout le monde peut porter du bleu, par exemple, mais votre conseillère vous montrera, dans votre palette de couleurs, la nuance de bleu qui vous met le plus en valeur.

Le fait de connaître «votre» saison et la palette de couleurs qui vous est propre vous évitera de faire de mauvais achats, d'autant plus que tout coûte tellement cher de nos jours… Alors, créez une bonne impression… toute en couleurs!

Le tabac et l'amour ne font pas toujours bon ménage. Pourquoi ne pas cesser de fumer?

De nos jours, les gens fument de moins en moins et accordent de plus en plus d'importance à leur santé. En cessant de fumer, non seulement vous vous sentirez mieux dans votre peau, mais vous réaliserez des économies appréciables et, surtout, vous augmenterez le nombre de vos partenaires potentiels. En lisant les petites annonces dans les journaux, vous remarquerez que de plus en plus de personnes précisent qu'elles recherchent un partenaire non fumeur. Il est difficile pour un non-fumeur, et pire encore pour un ancien fumeur, de vivre auprès d'un partenaire qui fume. Pourquoi accepterait-on de se faire incommoder alors que l'on ne fume pas soi-même?

Les agences de rencontre rapportent qu'il devient de plus en plus difficile de trouver un partenaire qui n'est pas rebuté par la cigarette, ce qui revient à dire que le nombre de partenaires potentiels pour les fumeurs diminue au fur et à mesure que la quantité des non-fumeurs augmente. Dans un court article paru en décembre 1990 dans le *Journal de Montréal,* on lisait que la cigarette est de plus en plus rejetée dans les rapports amoureux. L'article s'inspirait d'une enquête menée auprès des membres d'une importante agence de rencontre de Boston. On y découvrait que 89 p. 100 des gens interrogés préféraient les non-fumeurs et, de ce nombre, 47,9 p. 100 refusaient catégoriquement de rencontrer un ou une habituée de la cigarette. Les résultats de l'enquête indiquaient également que les fumeurs sont maintenant des sujets encore plus indésirables que les femmes «fortes» ou que les hommes de petite taille.

Alors... ne laissez pas vos amours s'envoler en fumée!

Placez une annonce dans la section des annonces classées pour célibataires. Tentez cette expérience au moins une fois.

Choisissez bien le journal qui publiera votre annonce, en fait, une publication dont le bassin de lecteurs correspond au genre de personne qui vous intéresse.

Écrivez une annonce vraiment spécifique; n'essayez pas de réduire vos frais en écourtant le texte de votre annonce. Dépensez un peu plus et n'épargnez pas non plus vos mots pour vous décrire ou pour indiquer le type de personne que vous voulez rencontrer. Même si vous recevez moins de lettres ou d'appels à cause de vos exigences, vous êtes assuré, au bout du compte, de gagner à la fois en temps et en qualité. Il vaut mieux recevoir 30 lettres ou messages téléphoniques qui correspondent presque tous au profil de la personne recherchée que 60 réponses plus ou moins pertinentes. Une dernière sélection au téléphone vous fera gagner bien du temps. La véritable économie ne consiste pas à placer une annonce courte, bien au contraire.

Une erreur commune à ceux qui placent ce genre d'annonces est le manque de spécificité. Précisez donc clairement le type de relation que vous souhaitez établir. Par exemple, si vous êtes intéressé à une relation durable, il faut absolument le mentionner dans votre annonce afin de ne pas attirer des partenaires potentiels qui manquent de sérieux ou qui ne cherchent qu'à se payer du bon temps. Ayez donc une idée bien claire du type de relation que vous souhaitez et du partenaire que vous recherchez.

Par ailleurs, nombreux sont les gens qui pensent pouvoir établir une relation durable, mais qui, confrontés à la réalité, se retrouvent en contradiction avec leurs désirs. Par exemple, ils sont tellement occupés, à cause de leur carrière et de leurs innombrables activités, que lorsque le bon candidat se présente, ils trouvent très difficile de se libérer même pour une soirée... ce qui, évidemment, pose un problème!

Précisez ce que vous recherchez dans une relation. Voulez-vous seulement un rendez-vous galant? Désirez-vous une relation durable? Exclusive? Le mariage? Des enfants? Un bon conseil aux femmes: publiez des annonces plutôt que de vous contenter d'y répondre car, généralement, les annonceurs masculins reçoivent plus de lettres que les femmes, surtout dans la catégorie des 40 ans et plus. Une femme recevra en moyenne de 25 à 40 lettres, alors qu'un homme en comptera de 60 à 100! On estime qu'il faut recevoir en moyenne de 8 à 10 réponses avant d'obtenir un rendez-vous prometteur.

Au téléphone, faites parler l'autre. Les gens aiment parler d'eux-mêmes et ils sont souvent ravis qu'on s'intéresse à leur vécu. De plus, plus vous les ferez parler, moins vous aurez besoin de parler de vous-même au cours de la première conversation. Si vous ne découvrez pas la personne de votre vie, cela vous donnera au moins un bon exercice et vous servira lors de vos prochaines conversations téléphoniques avec d'autres partenaires potentiels. Attention: beaucoup de gens ont tendance à exagérer en faisant leur propre description.

Placer une annonce classée est recommandé aux gens qui ont des handicaps: les obèses, les aveugles, les amputés, les handicapés moteurs, les chauves, etc. Lorsque vous placez votre annonce, précisez votre genre de handicap. Vous recevrez peut-être ainsi moins de lettres, mais chacune sera signée d'une personne qui vous accepte tel quel. Vous éviterez ainsi une perte de temps et d'énergie.

Répondez à plus d'une annonce; cela ne coûte que le prix du timbre et du papier.

Usez d'originalité et de créativité. Faites-vous remarquer, car vous entrez en compétition avec des dizaines d'autres partenaires potentiels. Précisez ce que vous-même vous recherchez chez un partenaire amoureux et quel type de relation vous souhaitez développer. Répondez de la même façon que vous répondriez à une demande d'emploi, c'est-à-dire en précisant de façon personnalisée pourquoi vous correspondez bien aux intérêts de la personne à laquelle vous écrivez.

Souvent, il n'est pas nécessaire de répondre par écrit. Les annonceurs disposent de boîtes vocales fournies par le journal et vous pouvez y laisser votre message. Adoptez votre plus belle voix, soyez original et distinguez-vous.

Ne répondez pas à une annonce si vous vous rendez compte que la personne qui l'a placée a un critère important auquel vous ne correspondez pas. Par exemple, si elle demande un non-fumeur, même si vous répondez à toutes les autres exigences, si vous fumez, c'est inutile d'écrire. Mieux vaut ne pas insister. Soixante non-fumeurs vont lui écrire... Pourquoi donc choisirait-elle votre lettre? Sachez éliminer les causes perdues à l'avance.

Si vous utilisez une carte pour envoyer vos réponses, choisissez une carte humoristique. Votre envoi doit être bref: une lettre de neuf pages peut projeter une image névrotique. Il est préférable de ne pas demander de photographie dans votre annonce. De toute façon, il est reconnu que la plupart des gens n'envoient pas de photos. Si une annonce réclame une photographie, envoyez, par exemple, une photo fort réussie d'un paysage ou encore d'une scène typique prise dans un pays que vous avez visité. À l'endos, inscrivez une pensée et un commentaire sur la photo qui donneront à votre correspondant une idée du genre de personne que vous êtes.

Il est tout à fait normal et légitime de répondre à plus d'une annonce classée, puisque plusieurs textes attirent votre attention.

Il est recommandé de découper les petites annonces auxquelles vous répondez et de les conserver. Vous disposerez ainsi de la référence exacte lorsqu'une personne vous téléphonera, par exemple. Vous éviterez de la confondre par mégarde avec une autre. Si vous vous retrouvez dans le doute, demandez à votre interlocuteur de préciser quel était le texte de son annonce ou encore son numéro de référence ou de boîte vocale, s'il y a lieu. Ainsi, vous éliminerez pratiquement tout risque d'erreur.

Attention! En réponse à une annonce, n'envoyez pas de lettre photocopiée qui pourrait donner l'impression d'une lettre circulaire. Écrivez toujours une lettre personnalisée ayant un rapport direct avec le contenu de l'annonce. Indiquez, par exemple, pourquoi vous avez choisi de répondre à cette annonce en particulier, précisez le détail qui aura retenu votre attention et ce qu'il aura évoqué de personnel, etc. N'envoyez pas de lettres identiques, même manuscrites, à deux ou trois personnes différentes car, quelquefois, les personnes qui passent des annonces se connaissent entre elles.

Pierre et Jean avaient tous deux publié des annonces dans un grand quotidien de la métropole. Pierre avait placé son annonce en septembre et Jean, constatant que Pierre avait reçu près de 60 lettres, avait décidé en octobre d'imiter son ami. Lorsque Jean dépouilla son courrier, les deux amis comparèrent leurs lettres et, ô surprise! ils retrouvèrent les mêmes lettres photocopiées adressées à l'un comme à l'autre. Ils éliminèrent ces dernières, ainsi que les lettres manuscrites qui, même si on avait pris la peine de les écrire sur un papier de qualité, contenaient mot pour mot le même texte. Les lettres reproduites en série ne les intéressaient absolument pas!

Vous pouvez vous servir de papier à en-tête imprimé à votre nom, ou bien utiliser une carte humoristique portant un petit message. Rappelez-vous que la personne recevra probablement plusieurs réponses; il est donc important que la vôtre ressorte du lot! Utilisez un papier de qualité, du papier vélin, par exemple. Trop souvent, les gens répondent à une annonce en utilisant du papier brouillon, ligné ou quadrillé. Ils oublient que le papier utilisé, tout autant que le texte de la réponse, est l'un des premiers messagers de l'image de celui qui l'envoie et du respect qu'il porte à autrui.

Il est important de ne rien négliger et de mettre tous les atouts de votre côté. Que feriez-vous si vous receviez des lettres écrites sur du papier brouillon et que vous en receviez d'autres écrites sur du papier de fantaisie, du papier de qualité? Vous commenceriez votre lecture par les lettres écrites sur du beau papier, non?

Une lettre d'affaires peut être écrite à l'ordinateur ou à la machine à écrire, mais il est impératif que votre lettre personnelle soit écrite à la main. Soignez votre calligraphie et votre signature. Si vous écrivez mal, faites un effort: c'est une question d'étiquette.

Ne vous découragez pas.

Soyez persévérant, même si vos lettres demeurent sans réponse. Inspirez-vous de cet exemple: ce n'est qu'à son 96e envoi qu'une jeune Américaine a finalement rencontré l'homme qui est aujourd'hui son mari. Alors, ne lâchez pas!

Lorsque vous placez une annonce, prenez garde de donner une image honnête de vous-même. Attention: assurez-vous également que l'annonceur a donné une image honnête de lui-même. Au téléphone, discutez longuement avec votre interlocuteur afin de le connaître un peu mieux. Demandez-lui, par exemple, quels sont ses défauts, afin de savoir s'ils vous sont acceptables. Demandez-lui aussi de se décrire physiquement. Combien de temps a duré sa dernière relation? Depuis combien de temps est-il libre? À ce sujet, voici un exemple parmi tant d'autres: à force de questionner Antoine, Élisabeth a pu apprendre qu'il n'était séparé de sa femme que depuis trois semaines, qu'il n'était pas divorcé et que son mariage avait duré plus de 18 ans. Elle comprit qu'Antoine se lançait tête première dans une nouvelle relation. Évidemment, lorsqu'elle s'en rendit compte, Élisabeth refusa de le rencontrer. Cette démarche d'Antoine lui sembla vraiment trop précipitée.

Lorsque vous répondez à une annonce ou en placez une, n'énumérez pas tous vos points positifs comme une litanie.

Démontrez de préférence vos qualités à travers votre choix de mots. Ne dites pas: «J'ai le sens de l'humour.» Employez plutôt de l'humour dans votre texte et rappelez-vous que votre texte sera en compétition avec une grande quantité d'autres.

Si vous ne vous sentez pas prêt à fixer un rendez-vous parce que vous avez l'impression, par exemple, de ne pas détenir suffisamment d'information sur votre interlocuteur après une seule conversation téléphonique, proposez-lui de le rappeler quelques jours plus tard. Expliquez-lui que cette expérience est toute nouvelle pour vous et que vous vous sentiriez plus à l'aise si vous pouviez lui parler une seconde fois au téléphone avant de décider de le rencontrer. Si vous n'êtes vraiment pas tenté de donner un rendez-vous à quelqu'un après avoir discuté avec lui au téléphone, rien ne vous oblige à le faire.

Claudine avait placé une annonce et reçu 46 lettres. Elle s'était dit: «Ils se sont tous donné la peine de m'écrire, je vais donc me donner la peine de les rencontrer tous...» Elle les classa par ordre de priorité et téléphona à chacun. Comme elle avait placé en haut de sa liste les hommes qui avaient rédigé de longues réponses, le tout dernier qu'elle rencontra fut celui qui ne lui avait écrit que trois lignes. Eh bien! ce fut lui, le 46e, qui fut son préféré! Aujourd'hui, elle est mariée à cet homme depuis sept ans.

Faites appel aux services d'une agence de rencontre.

Gardez en tête que faire appel à une agence n'est pas un geste honteux ou désespéré, mais plutôt une démarche constructive. C'est une façon de plus de rencontrer quelqu'un. Si deux agences vous inspirent une égale confiance, pourquoi ne pas vous inscrire aux deux? Les agences de rencontre constituent un moyen sérieux de trouver un conjoint, car en général les gens qui s'y inscrivent, et que l'on vous présentera, désirent tous vraiment rencontrer une personne pour une relation durable. Il est rare que des gens aillent y perdre leur temps et leur argent, car les services des agences respectables et professionnelles sont tout de même coûteux. Passer par une agence est avantageux parce qu'elle procède par élimination; elle effectue donc pour vous une sélection de candidats. En moyenne, on affirme que parmi les gens présentés par une agence de rencontre, un sur deux est intéressant! C'est encore mieux que la moyenne des annonces classées: on n'obtient qu'un seul rendez-vous de qualité sur 8 à 10 lettres reçues. C'est une question de choix, de confiance et, bien sûr, de moyens financiers.

Il est pertinent de poser certaines questions lorsque vous téléphonez aux agences de rencontre: outre leur nombre exact de membres, demandez si elles ont une politique de remboursement. Par exemple, si vous vous inscrivez pour une période d'un an et que, une semaine plus tard, vous rencontrez un partenaire amoureux par vos propres moyens, va-t-on vous rembourser les 11 mois de services dont vous ne bénéficierez pas? Vous remboursera-t-on si on ne peut pas vous dénicher un partenaire? Si la durée de votre contrat est de six mois et qu'entre-temps, vous rencontrez un partenaire sans l'aide de l'agence, votre contrat comporte-t-il une clause stipulant une date limite d'annulation? Le conseiller responsable de votre inscription à l'agence s'occupera-t-il aussi de vos rendez-vous futurs? Quel est le temps d'attente avant d'obtenir un premier rendez-vous? Quel sera le temps d'attente entre chaque rendez-vous? Cette agence organise-t-elle des soirées de rencontre? Combien a-t-elle de membres du sexe opposé dans votre catégorie d'âge? Attention: une agence compte quelquefois d'autres succursales ou des franchises dans plus d'une ville. Assurez-vous que l'on vous donne bien le nombre de membres dans votre ville, et non pas celui de toute la province!

En règle générale, les agences fournissent des services de qualité, mais coûteux. Rappelez-vous que ces entreprises sont à but lucratif et qu'elles ne recrutent pas nécessairement de nouveaux membres selon des critères de sélection aussi stricts et rigoureux que pourraient l'être les vôtres.

Si vous faites appel à une agence, choisissez-en une de préférence qui offre un service de visionnement de cassettes vidéo, car vous êtes alors assuré que votre premier rendez-vous

ne sera pas tout à fait un «blind date». En étudiant les caractéristiques propres à chacun des membres inscrits dans cette
banque de données: apparence physique, manière de s'exprimer, etc., vous pourrez effectuer une présélection de candidats ayant retenu votre attention. Toutefois, soyez conscient du
phénomène suivant: la vidéo ne rend pas toujours une image
fidèle des gens. N'ayant pas l'habitude des plateaux de cinéma
ou de télévision, nous sommes souvent intimidés par la
présence d'une caméra; celle-ci accentue notre timidité et nous
rend moins spontanés. Et alors, notre personnalité ne s'ex-
prime pas à sa juste valeur. Malgré cela, il vous est tout de
même possible de vous inspirer de la cassette vidéo afin d'avoir
une première idée sur les candidats potentiels.

Choisissez votre agence de la même façon que vous achetez
tout produit de consommation. Celles qui offrent des services
vidéo coûtent peut-être un peu plus cher, mais vous payez pour
le privilège que vous obtenez.

Il existe des agences haut de gamme à la fois très professionnelles et coûteuses: il s'agit d'agences de style «chasseurs
de têtes». On en trouve dans certaines grandes villes américaines, notamment à Beverly Hills, en Californie; il y en a
également une à Montréal. Ces agences spécialisées placent des
annonces pour vous, sortent pour vous et «interviewent» des
gens susceptibles de vous intéresser. À Beverly Hills, un tel service peut coûter jusqu'à 10 000 $US.

Dans certains pays, les agences de rencontre sont soumises
à des lois protégeant le consommateur. Au Québec, par exemple, les agences doivent vous remettre, lors de votre inscription,
un contrat de location de services à exécutions successives régi
par les articles 190 et 191 de la Loi sur la protection des con-
sommateurs. Lors de votre inscription, les conseillers doivent
également annexer au contrat qu'ils vous font signer une formule de résiliation qui vous permettra d'annuler ledit contrat
en tout temps.

Enfin, si vous êtes une femme et que vous appelez une
agence de rencontre, laquelle affirme posséder plus de candidats que de candidates, demandez à un ami de téléphoner à

son tour à cette même agence afin de vérifier si on donne des renseignements identiques aux hommes et aux femmes. Vous saurez à quoi vous en tenir si on lui répond qu'on compte plus de femmes que d'hommes... Encore une fois, soyez prudent.

Attention avant de choisir une agence: il en existe plusieurs qui font beaucoup de publicité, mais qui sont fortement axées sur la rentabilité. Il arrive également que les conseillers soient payés à la commission. Lorsque vous téléphonez aux diverses agences, avant même d'en choisir une, rappelez-vous que toute agence honnête et respectable ne devrait pas hésiter à vous communiquer ses tarifs au téléphone. Il peut arriver que les prix diffèrent selon les candidats. Quelquefois, le tarif ne sera pas le même pour les hommes que pour les femmes, ou encore il variera selon les catégories d'âge. À mesure qu'on avance dans les groupes d'âge, plus il y a de femmes disponibles et moins il y a d'hommes. Il s'agit d'un phénomène général.

Soyez prudent dans votre choix. Choisissez une agence de rencontres qui a pignon sur rue depuis plusieurs années. Retenez une agence qui compte au moins 500 membres! Appelez le Bureau d'éthique commerciale ou l'Office de la protection du consommateur de votre ville afin de vérifier si ces agences jouissent de bonnes références et si elles n'ont pas un dossier de plaintes bien garni.

Lorsque vous sélectionnez une agence de rencontre, soyez un consommateur averti. Quelquefois, l'agence offrira des «spéciaux» de la même façon que les clubs sportifs. Dans un tel cas, vérifiez exactement ce que vous obtiendrez pour le montant que vous débourserez.

Lorsque vous fixez un rendez-vous avec une personne inconnue, soignez votre apparence, prenez les précautions qui s'imposent et suivez quelques règles de base.

Établissez au téléphone vos projets de rencontre en adoptant les principes suivants:

• Choisissez un endroit public bien fréquenté. Puisque c'est la première fois que vous allez rencontrer la personne, il est évident que la prudence s'impose.

• Ayez votre propre moyen de transport. Ne soyez pas à la merci de l'autre. Au cas où la personne vous inspire peu ou pas confiance, vous serez donc capable de retourner chez vous par vos propres moyens. Avant de vous rendre au rendez-vous, assurez-vous que l'autre est aussi bien organisé que vous-même sur le plan du transport, de façon à ne pas être obligé de reconduire une personne qui ne vous plaît pas.

• Fixez un rendez-vous de courte durée. Précisez-le à l'avance. Il peut s'agir d'aller prendre un café, un cocktail de 5 à 7, ou encore le repas du midi ou mieux, un dessert le soir, peu importe, du moment que le rendez-vous est relativement bref. Ainsi, vous n'avez rien à craindre et, si votre rencontre n'est pas une réussite, vous n'aurez pas perdu beaucoup de temps. En revanche, si la personne vous plaît, vous pouvez toujours commander un autre café... Si elle vous plaît énormément, proposez-lui un deuxième rendez-vous.

• Déterminez un signe ou un élément de reconnaissance. Vous pouvez, par exemple, décrire sommairement votre tenue vestimentaire et insister auprès de l'autre afin qu'il fasse de même. Proposez également que chacun de vous tienne à la main un objet. Il peut s'agir d'un journal particulier, d'un livre dont vous aurez précisé le titre, d'une fleur d'une espèce rare, etc.

• Évitez de vous créer à l'avance une image physique de l'autre. Si la personne que vous rencontrez ne vous plaît pas, soyez courtois. Dites-vous qu'elle a fait un effort pour se rendre à ce rendez-vous, pour être à l'heure, pour vous plaire... Respectez donc tout cela et dites-vous qu'une heure passe rapidement.

Il faut bien l'admettre: la toute première impression que l'on projette lorsqu'on rencontre quelqu'un qui ne nous a jamais vu est physique, visuelle. Votre tenue vestimentaire, que vous le vouliez ou non, jouera donc un rôle important. Prenez soin de bien vous habiller. Soyez poli. Ayez une attitude positive. On a beau dire que l'habit ne fait pas le moine, lors de la première rencontre, il aide certainement un peu.

Une mise en garde qui s'adresse surtout aux dames: après avoir placé une annonce classée dans la rubrique «compagnons et compagnes» ou y avoir répondu, vous allez rencontrer un inconnu avec qui vous avez établi un contact téléphonique. Avisez une amie du nom et de l'adresse de l'endroit où vous avez rendez-vous et dites-lui vers quelle heure vous comptez rentrer à la maison. S'il devait vous arriver quelque chose, il y aurait au moins une personne qui saurait où vous êtes allée et qui pourrait prendre les mesures nécessaires pour vous chercher et vous venir en aide.

Participez à des activités et à des cérémonies religieuses.

Toutes les religions offrent des festivals, des parades ou des rassemblements sociaux à leurs membres. Certaines religions organisent même des événements spéciaux à l'intention de leurs adeptes célibataires. Quelle que soit votre religion, vous serez assuré de vous faire des amis parmi vos semblables, en assistant à des cérémonies ayant rapport avec votre religion. Les partenaires amoureux potentiels que vous pourriez y rencontrer comprendront et respecteront les mêmes traditions – familiales et communautaires – et les mêmes formes de culte que vous, ainsi que les pratiques et les restrictions auxquelles vous êtes requis d'adhérer. Votre foi, votre religion et vos lieux de culte peuvent vous procurer un merveilleux sentiment d'appartenance et de valeur personnelle. Lorsque l'amour de votre vie partage les mêmes croyances religieuses, cela ne fait que renforcer votre prédisposition à pratiquer votre religion de manière forte et durable.

Vous pouvez aussi rencontrer quelqu'un dans une association ethnique.

Il peut s'agir d'une association espagnole, portugaise, grecque, allemande... Elles offrent toutes sortes d'activités, notamment des cours et des soirées de conversation qui vous permettront d'apprendre une nouvelle langue, de la parler et, bien sûr, de rencontrer des gens qui vous enrichiront par leur culture différente. Vous pouvez ainsi participer à des soirées qui peuvent être bien agréables si vous avez l'esprit ouvert sur le monde et que vous aimez découvrir des mœurs, des coutumes, des traditions et même une cuisine autres que les vôtres.

Prenez l'initiative d'organiser vous-même des activités pour célibataires.

Devenez un véritable entrepreneur en organisant régulièrement – chez vous, dans un restaurant ou dans une salle que vous louerez – des fêtes pour célibataires. Naturellement, vos invités devront participer aux frais. Donnez un thème à chacune de vos soirées et prenez les inscriptions après avoir annoncé vos projets sous la rubrique des activités sociales pour célibataires, dans la section des annonces classées des grands quotidiens.

Lors de vos réceptions, vous pouvez servir des cocktails, un dîner ou tout simplement un verre de vin et un dessert. Surtout, portez une attention très spéciale à l'accueil et présentez tous les gens les uns aux autres dès leur arrivée. Remettez à chaque invité un autocollant sur lequel est inscrit son prénom. De plus, faites en sorte que tous changent de place deux ou trois fois au cours de la soirée de façon à accroître les possibilités d'échange des participants.

Vous craignez que tous ces gens qui ne se connaissent pas manquent tôt ou tard de sujets de conversation et que surviennent des silences? Prévoyez le coup: planifiez différents jeux de société ou encore un forum et proposez au groupe un sujet de discussion à la mode sur lequel chacun aura la chance d'exprimer son opinion. Au moment du départ, remettez la liste des numéros de téléphone des invités à tous les participants. Peut-être la Belle au bois dormant ou le Prince charmant sonnera-t-il un jour à votre porte...

Organisez une fête de «rencontres au hasard»!

Voici une idée de fête vraiment amusante pour les célibataires, et c'est la dernière rage à Londres. Pour préparer l'événement, invitez un nombre égal d'hommes et de femmes à prendre un verre chez vous, en début de soirée. Puis, chacun s'arrange pour aller dîner avec une autre personne. Vous pouvez piger des noms à même un chapeau: un pour les hommes et un autre pour les femmes. Vous pouvez également envoyer les femmes dans une pièce et les hommes dans une autre, fermer les portes et demander à une personne à la fois de sortir de la pièce pour rencontrer la personne qui sort par l'autre porte. C'est follement amusant! Suggérez ensuite à tout le monde de se retrouver, après dîner, dans un club pour échanger des réflexions en prenant des digestifs. Une soirée vraiment tordante! Et une façon merveilleuse de faire une nouvelle rencontre!

Des idées folles de «mini-rendez-vous maxi-amusants» pour une première rencontre.

Si vous cherchez une idée originale pour un premier rendez-vous, une activité ni trop coûteuse ni d'une trop longue durée, vous pouvez essayer ces suggestions de «mini-rendez-vous». Au moins, vous ne risquerez pas de passer des heures avec un casse-pieds: votre expérience se limitera à celle d'un «mini-désastre»!

• Quelle chance! Il y a une fête de communauté ethnique dans un quartier voisin. À deux, vous pouvez vous contenter d'observer les gens et de goûter des plats exotiques tout en vous promenant et en faisant l'un et l'autre connaissance. L'occasion vous procurera des tas de sujets de conversation, et vous ne vous sentirez pas obligé d'être amusant à tout prix!

• Achetez quelques caméras jetables et devenez, pour un après-midi, de grands photographes. Amusez-vous à prendre des instantanés d'oiseaux exotiques ou à saisir les bouffonneries des singes au jardin zoologique. Les jardins botaniques offrent de magnifiques sujets de photos, et l'air embaume du parfum des fleurs tropicales: un prélude invitant à une délicieuse soirée… si les atomes sont crochus!

• Revivez un plaisir mémorable de votre enfance en patins à roulettes à la piste de votre quartier! Ce n'est peut-être pas une bonne idée si vous n'avez jamais patiné, mais c'est excellent si vous êtes timide: comme la musique et le bruit rendent la conversation difficile, vous pourrez vous contenter de faire de grands sourires pendant que vous jaugez l'autre d'un coup d'œil. Plus tard, si tout va bien, vous pourrez partager une eau gazeuse format géant, ou un double *banana split* à un comptoir de crème glacée!

• Combinez l'exercice, l'appréciation de la nature et le compagnonnage en proposant une balade en vélo, ou une promenade à pied le long d'une route spectaculaire ou historique bien fréquentée. Apportez des fruits ou quelques boissons gazeuses pour montrer que vous êtes une personne prévenante et attentionnée.

• Y a-t-il une exposition spéciale dans une galerie d'art de votre ville? Ce sera une sortie amusante si vous aimez tous les deux l'artiste ou le style de son œuvre. Allez rencontrer dans une librairie un auteur célèbre qui y tient une séance de signatures. Ou encore, il se tient peut-être une conférence sur le cinéma à la bibliothèque de votre quartier. Sortir dans des lieux publics, parmi d'autres gens, voilà la clé d'un premier rendez-vous agréable.

• Réservez deux places pour une visite touristique de votre ville, ou pour une promenade guidée à pied dans un vieux quartier intéressant. La plupart des villes présentent une attraction touristique que souvent les résidents ne se donnent pas la peine de visiter. Prenez-y rendez-vous pour découvrir son histoire unique. Et pour vous découvrir mutuellement, bien entendu. Lunchez dans un charmant café au décor d'autrefois pour faire une pause agréable et pour saisir l'occasion d'évaluer votre intérêt l'un pour l'autre.

• Au printemps ou en début d'été, vous apprécierez peut-être d'aller cueillir ensemble des fleurs ou des fruits sauvages. Même si votre partenaire n'est pas fascinant, le fait de vous trouver dehors, au soleil et à l'air frais, vous mettra de bonne humeur!

• Observer et nourrir les oiseaux, ou chasser les papillons pour les photographier ou les collectionner, voilà une autre idée amusante de rendez-vous en plein air qui ne coûte rien et qui encouragera les sourires et un sentiment d'émerveillement devant la beauté de la nature. Et qui vous vaudra peut-être un compliment sur votre propre beauté!

• À l'intention des aventuriers, il existe des mini-croisières d'une demi-journée ou d'une soirée. Vous pouvez également effectuer des fouilles archéologiques d'une journée, ou monter à cheval pour visiter un site intéressant.

• Dans certains pays, l'automne est une saison merveilleuse pour marcher dans les bois en admirant le décor aux couleurs magnifiques. Si l'Halloween approche, vous pourrez acheter des citrouilles à un marché de campagne, ou vous rendre dans un parc des environs pour tailler et décorer d'extravagantes têtes de citrouilles. Prenez soin de l'environnement: apportez des sacs à déchets pour ne pas laisser de traces.

• Si vous êtes tous les deux des amateurs de tennis, de badminton ou de racquetball, lancez-lui le défi d'un match. Soyez chic: apportez des boissons gazeuses et un goûter léger.

Vous avez un titre important ou encore vous possédez une très belle apparence qui éblouit et intimide à la fois?

Trois hommes qui se promenaient ensemble dans un parc aperçurent, assise seule sur un banc, une jeune fille d'une étonnante beauté. Ils se mirent à échanger à son sujet les commentaires les plus éloquents. Le ton de leurs éloges trahissait un vif désir de la connaître. Pourtant, aucun d'entre eux n'osa l'aborder. Sa beauté les avait tout simplement figés, paralysés tous les trois. Et la jeune fille, elle, est restée seule...

Vous avez, vous aussi, une apparence qui sort de l'ordinaire, un visage et un corps remarquables? Vous souffrez pourtant souvent de solitude? Peut-être votre apparence sensationnelle intimide et fait peur? Il est possible que vos partenaires potentiels se disent: «Elle est trop belle pour moi...», ou encore: «Il est trop célèbre...», etc.

Prenez les devants si les gens ne viennent pas à vous à cause de votre apparence ou de votre réputation intimidante. La solution est de prendre vous-même l'initiative, de créer le contact avec les personnes qui vous attirent, d'aller vers les gens, de démystifier votre image et, surtout, de vous montrer simple et accessible: un être humain comme tout le monde, quoi! Souriez, soyez agréable, intéressez-vous aux autres et les gens se sentiront très vite à l'aise en votre compagnie.

**Rien ne réussit plus dans vos stratégies amoureuses? Vous
êtes découragé? Prenez une pause et profitez de cette période
pour jouir au maximum des avantages qu'offre le célibat.**

Après une multitude de tentatives diversifiées pour rencontrer quelqu'un qui vous plaît, vous vous rendez à l'évidence: le téléphone reste muet. Vos trois derniers rendez-vous
n'ont pas eu de suite. Aujourd'hui encore, vous avez raté une
chance.

Vous êtes déprimé et un peu épuisé émotivement; c'est tout
naturel. Nous avons tous nos limites et il est sain de les reconnaître. Peut-être est-il nécessaire de vous permettre un temps
d'arrêt et de faire le point? Profitez-en pour refaire le plein de
vos énergies affectives et pour réévaluer vos stratégies
amoureuses... afin d'en arriver à mieux vivre votre célibat.

En effet, votre célibat ne durera peut-être pas très
longtemps et le fait d'être célibataire offre tout de même de
nombreux avantages. Profitez donc de ce temps pour satisfaire
vos goûts personnels, réaliser des projets que vous remettez
depuis des mois, faire les choses qui vous tentent le plus sans
avoir à les négocier avec Claude, Michel ou Johanne. Achetez
cette fameuse chaîne stéréo dont vous rêvez; n'attendez pas de
rencontrer quelqu'un pour réaliser ce rêve, car la musique est
une présence particulière qui peut meubler votre espace
intérieur.

Décorez votre appartement selon vos goûts, sans faire de
concessions, et profitez de votre célibat pour y mettre les
meubles et les accessoires qui vous plaisent sans vous soucier
de l'opinion d'une autre personne. Vous aimerez d'autant plus
votre environnement quotidien qu'il reflétera à 100 p. 100
votre personnalité. Vous vous y détendrez davantage et vous
aurez encore plus envie de vous y retrouver. Apprenez à vivre
seul. Apprenez à vous débrouiller d'une manière totalement
autonome et débarrassez vite votre décor de toute photo, objet
ou bibelot qui vous rappelleraient régulièrement les souvenirs
d'une relation pénible.

Tirez une leçon de vos erreurs et voyez la façon de ne pas les commettre une deuxième fois.

Considérez un échec plutôt comme une expérience enrichissante qui vous aidera à modifier votre comportement, à réorienter votre choix de partenaire et à ne plus commettre les mêmes erreurs.

Si vous avez entrepris une relation et qu'elle n'est pas allée aussi loin que vous l'auriez souhaité, demandez-vous si, en réalité, cette relation aurait été satisfaisante pour vous. Votre partenaire avait-il des buts compatibles avec les vôtres dans la vie? Souhaitait-il le même genre de relation, ce qui, après tout, est le critère de sélection le plus important? Éprouvait-il les mêmes sentiments à votre égard que ceux que vous éprouviez envers lui?

Dans le même ordre d'idées, voyez, à partir de vos expériences plutôt négatives, qu'elles aient été courtes ou longues, s'il y a lieu de modifier votre comportement amoureux. Choisissiez-vous judicieusement vos partenaires? Avez-vous fait des choix éclairés et réfléchis? Avez-vous pris le temps de bien analyser vos partenaires avant de vous lancer dans une relation durable avec eux? En vérifiant tout cela, réévaluez vos stratégies afin de ne plus faire les mêmes erreurs.

Si vous éprouvez de la difficulté à rencontrer quelqu'un, peut-être est-ce une question d'attitude à changer. On se voit rarement tel qu'on est... Heureusement, les amis sont là pour détecter et percevoir nos maladresses. Il est quelquefois à propos de suivre les conseils sincères qu'ils nous prodiguent. Un véritable ami vous donnera l'heure juste!

Nous avons tous nos inquiétudes, nous sommes tous vulnérables, nous éprouvons tous un manque d'assurance de temps à autre. Dans ces moments pénibles, la collaboration d'un vrai ami est précieuse. Il nous permet, par exemple, de prendre conscience des attitudes qui nous nuisent et d'y faire face plutôt que de les nier. Il nous aide également à nous améliorer afin que nous ne répétions plus, les unes après les autres, les mauvaises expériences qui nous font souffrir.

Persévérez. Rappelez-vous qu'il faut ouvrir plusieurs huîtres avant de trouver la perle rare.

Persévérez, même si votre recherche ressemble parfois à celle d'une aiguille dans une botte de foin... Combien de clients un vendeur doit-il rencontrer, combien de présentations doit-il faire avant de remplir son quota de vente hebdomadaire ou mensuel? Combien d'appels fait-il avant de convaincre un client d'acheter le produit proposé? Sept? Dix? On dit que tel joueur de hockey est le meilleur d'une ligue, mais combien de fois a-t-il raté la rondelle pour chaque but qu'il a compté? L'évidence même, c'est qu'on ne peut être gagnant à tous les coups, que ce soit dans la vente de téléphones cellulaires, au hockey ou en amour. Il faut persévérer. Il y a assurément quelqu'un pour vous parmi le nombre impressionnant de personnes seules que l'on compte présentement dans le monde.

Le flirt

Chapitre 2

1001 TECHNIQUES IRRÉSISTIBLES POUR FLIRTER ET POUR SÉDUIRE

Le flirt est un art qui vous aidera à rencontrer des gens et à leur laisser une impression bonne et durable. Si vous venez de lire le premier chapitre «1001 trucs amusants pour rencontrer quelqu'un à coup sûr», vous découvrirez que «1001 techniques irrésistibles pour flirter et pour séduire» renforce les stratégies de rencontre, en vous proposant des façons amusantes d'attirer l'attention de la personne qui vous intéresse.

Avez-vous toujours voulu devenir un «papillon» social, extroverti et dépourvu de toute crainte lorsque vient le moment d'interagir avec le sexe opposé? Le présent chapitre vous donnera le supplément de confiance et d'image positive qui vous aidera à attirer la personne qui vous convient. De plus, il vous indiquera comment développer un style de flirt personnel au moyen de stratégies verbales et non verbales qui, en mettant en valeur vos qualités et vos talents, vous amèneront vers des rencontres romantiques réussies à tout coup. Grâce à ce chapitre, *vous* pourrez devenir un *flirt irrésistible*!

Le présent chapitre éliminera les doutes et les tabous que vous entretenez peut-être à propos du flirt. Par exemple, saviez-vous que le flirt améliore votre entregent?... vous aide à rester naturel dans les situations sociales?... fait sortir les gens de leur coquille? Saviez-vous que la danse est une forme de flirt?

Flirter vous aide à entrer en relation avec les gens. Le présent chapitre vous enseignera comment faire briller vos avances, comment «flirter avec du parfum» ou «flirter avec un baiser», et comment le fait de «refléter» quelqu'un (être le miroir de l'autre) peut le pousser à flirter avec vous!

Vos stratégies interpersonnelles, combinées au pouvoir de l'individu confiant que vous pouvez devenir, vous transformeront en super-flirteur!

Qu'est-ce que le flirt?

Le flirt est un délicieux échange de regards, de langage corporel et d'allusions: franchement sexy, mais camouflé sous un couvert d'innocence. Quiconque a déjà levé les yeux sur un verre tendu, souri de façon invitante, ou lancé un clin d'œil conspirateur, s'est adonné aux plaisirs du flirt. Le jeu comporte tellement de nuances… car c'est un jeu, et un jeu délicieux!

Le flirt est une façon d'apprécier l'autre sexe, une célébration de la différence, une façon de dire «tu m'attires» sans s'engager davantage, à moins que l'autre le désire! Dans ce cas, le flirt se poursuit, dans une spirale ascendante de mouvements corporels accompagnés de jeux de mots à double sens, vers un contact physique électrique: un baiser volé, une caresse rapide, ou... ?

Considérez le flirt pour ce qu'il est: un jeu.

Amusez-vous. Que votre approche soit légère, subtile, imaginative, créative, fantaisiste. Ne vous prenez donc pas trop au sérieux. C'est une activité purement gratuite qui n'a d'autre but que le plaisir qu'elle procure. Le flirt doit être exercé avec humour, avec finesse, et ne doit pas porter à conséquence.

Imaginez le flirt comme un cadeau ou un divertissement que vous offrez à quelqu'un.

Un cadeau est gratuit et on ne doit rien attendre en retour. Alors flirtez et laissez le hasard faire le reste. Le flirt est une gâterie que vous offrez à quelqu'un pour ajouter à son bien-être et pour ensoleiller sa journée. Il suffit parfois de quelques mots gentils pour faire en sorte que votre interlocuteur inconnu se sente tout à coup superbement bien dans sa peau. Par exemple, un homme dit à la femme avec qui il se promène: «Je vous ai aimée toute ma vie.» Elle répond: «Mais vous ne me connaissez que depuis hier.» Il réplique: «Oui, mais c'est hier que ma vie a commencé!» Ça, c'est du flirt!

Envisagez le flirt comme une façon amusante d'établir un contact avec une personne du sexe opposé.

Grâce au flirt, on peut créer un climat de camaraderie. Flirter, c'est un peu jouer à être en amour, mais pas trop sérieusement. Flirter est une activité plus stimulante que faire cinq kilomètres de course à pied, puisqu'un bon flirt exige trois fois plus d'efforts intellectuels. Essayez et vous verrez!

Considérez le flirt comme un jeu sans conséquence.

Pratiquez-le avec beaucoup de monde, au bureau, avec les amis. C'est une habileté, une adresse, un savoir-faire qui s'affine à force de répétition. Pour briser la glace, commencez d'abord par essayer avec des gens que vous connaissez. Si vous vous exercez au flirt avec des gens que vous connaissez suffisamment, ils se sentiront d'autant plus à l'aise pour corriger vos erreurs, vous conseiller et vous aider à vous améliorer. Lorsque vous vous trouverez devant des inconnus du sexe opposé qui vous plaisent, vous serez beaucoup plus confiant et votre flirt aura l'air tout à fait naturel.

Rappelez-vous qu'il n'y a pas d'âge pour flirter.

Par exemple, une femme de 73 ans qui marche dans un parc de la ville de Québec se dirige vers un homme assis sur un banc. Elle lui dit: «Monsieur, comme vous me faites penser à mon troisième mari!» Il lui répond: «Ah! oui? Mais combien de maris avez-vous eus...?» Elle lui dit: «Seulement deux!» Vous voyez qu'il existe des trucs pour flirter même à un âge avancé!

Flirter améliore votre entregent.

Flirter, c'est une façon d'établir un rapport social. C'est l'art de l'interaction naturelle, que l'on peut améliorer par la pratique. On peut considérer le flirt comme un atout social fondamental, aussi fondamental que le fait de dire bonjour, ou de sourire à une personne que vous aimeriez rencontrer. La seule différence, c'est l'EXAGÉRATION. Dire «BONJOUR!» avec un supplément d'enthousiasme, ou offrir un sourire séducteur, en mobilisant tout votre visage pour montrer votre plaisir, ça, c'est du vrai flirt!

Maîtriser l'art de flirter, cela exige de la pratique mais est-ce que cela ne vous apparaît pas comme une partie de plaisir? Imaginez seulement à quel point vous vous sentirez détendu auprès des personnes du sexe opposé, lorsque vous considérerez vos rencontres comme une façon de vous exercer au flirt!

Le flirt vous permettra de faire une impression du tonnerre! Imaginez la scène: vous voilà au milieu d'une fête, et de l'autre côté de la pièce apparaît la personne la plus attirante que vous ayez jamais vue: le simple fait de la regarder vous donne la chair de poule! La prochaine fois qu'elle regardera dans votre direction, pourquoi ne pas attirer son attention en lui offrant un sourire séducteur? Au besoin, traversez la foule pour vous rapprocher d'elle afin qu'elle vous voie mieux. Puis, soyez un peu plus audacieux: en la croisant, effleurez-lui le bras. Retournez-vous en disant: «Excusez-moi!» d'une voix suave. Cette simple stratégie attirera à coup sûr son attention!

Flirter vous aidera à vous exprimer plus librement.

Le flirt est une extension naturelle de votre personnalité. Chacun de nous est flirteur de naissance. Avez-vous déjà

regardé un bébé en train de faire du charme? Qui peut s'em-
pêcher de répondre au sourire, à l'accolade ou au bisou d'un
bébé? L'adulte le plus rigide, le plus réservé et le plus pompeux
devient un sot à la voix mielleuse et au large sourire, lorsqu'il
essaie de faire sourire, gazouiller ou rire un bébé! Peu importe
à quel âge, tout flirt a la même fonction: encourager l'autre à
réagir. Soyez spontané et impulsif. Si vous vous trouvez dans
une fête et que vous êtes un pianiste de talent, jouez un air,
pourvu qu'il y ait un piano, bien entendu. Dédiez la pièce à
l'adorable garçon en complet bleu ou à la séduisante dame en
robe rouge que vous n'avez pas encore rencontré. Après une
interprétation aussi brillante, il ou elle viendra sans doute vous
trouver! Ne vous demandez pas quel air vous avez, ou comment l'autre réagira. Jouez avec vos semblables... Bientôt, chacun se livrera avec joie à une bonne partie de flirt, et tout le
monde aura un plaisir fou!

**Flirter peut vous permettre de connaître une personne
avant de la fréquenter sérieusement.**

Flirter, c'est une forme d'entregent qui met les gens à l'aise
lorsqu'ils s'adressent à vous. Flirter, c'est utiliser le contact
visuel et le langage corporel afin d'exprimer de la sympathie,
comme lorsqu'un enfant s'adresse à un autre enfant. C'est l'enfant en vous qui rejoint l'enfant en l'autre. La personne qui
vous attire vous considérera comme un ami.

Le flirt montre que vous êtes dépourvu d'inhibitions, et
vous permet de présenter votre côté amusant, libéré des con-
traintes sociales formelles. Lorsque vous parlez de façon
ouverte et que vous souriez, le corps détendu, avec une expression agréable, vous ne semblez pas menaçant. Vos gestes
encourageront bientôt l'autre personne à se joindre à vous
dans votre jeu de flirt.

La réaction d'une personne à votre flirt en dit long sur elle.
Si elle réagit de façon froide et hautaine, elle n'est probablement pas drôle à fréquenter, et vous pouvez vous contenter de
sourire et d'aller voir quelqu'un de plus réceptif. Si elle réagit
trop fort et vous tombe littéralement dessus, détachez-vous-en!

Toutefois, si vous montrez un intérêt véritable pour quelqu'un en lui faisant un compliment et en lui disant tout le plaisir que vous avez à le rencontrer, vous aurez en général un échange de flirt très agréable et même stimulant!

Motivez-vous à flirter!

Faites comme si c'était un soir de première, et imaginez que vous êtes la vedette du spectacle: un flirteur irrésistible. Si votre estomac est noué avant une fête ou une rencontre, visualisez-vous en train de flirter, cela vous aidera à combattre le trac. Il est normal d'avoir le trac. Même les artistes connus deviennent anxieux avant un spectacle: «Ça nous permet de rester vigilants», disent-ils. Le truc consiste à vous motiver, pas à vous démobiliser! La panique, c'est dans votre tête qu'elle se passe. Visualisez-vous en train de flirter. Fermez les yeux et imaginez-vous détendu, en train de voleter en flirtant... comme un papillon en société!

Pendant que vous vous préparez à un événement ou à une fête, imaginez-vous en boute-en-train. Au besoin, répétez en face d'un miroir! Faites jouer une musique vive, légèrement romantique, qui vous mettra dans une ambiance de flirt. En sortant de chez vous, vous serez déjà dans l'ambiance favorable à une performance magnifique!

Flirter peut raffermir votre confiance en vous-même.

Pour être une personne extrovertie et éprise de plaisir, vous devez croire en vous-même. Vous pouvez avoir une montagne de diplômes et de connaissances, mais si vous ne pouvez projeter votre personnalité, personne ne vous remarquera.

Même les formes de flirt les plus rudimentaires – comme le fait de lancer un clin d'œil à quelqu'un, de refléter quelqu'un (dont il est question plus loin), ou de fixer quelqu'un – peut servir à raffermir votre confiance. Lorsque quelqu'un réagira, même avec un simple sourire, vous aurez l'impression d'être un gagnant, comme si vous aviez conquis le monde! Plus vous flirterez, plus vous deviendrez audacieux. Vous essaierez bientôt toutes sortes de techniques de flirt, développerez une plus grande confiance en vous-même et en vos capacités, et vous sentirez plus à l'aise avec les personnes du sexe opposé. Votre image de vous-même prendra de l'ampleur. Vous réagirez de façon plus ouverte à des personnes différentes... une toute nouvelle approche se déploiera pour vous, car vous deviendrez une personne confiante qui se sent bien dans sa peau!

Flirter vous pousse à vous exprimer... et ce qui est bien, c'est que lorsque vous flirtez, vous n'avez pas toujours à être explicite ou extroverti. Faites un compliment à un collègue... vous verrez comme cela fait du bien. Dites à la téléphoniste à quel point elle a été gentille! Maintenez un contact visuel de 10 secondes avec un serveur ou avec un commis à la banque! Développez votre confiance en vous-même, vous êtes en voie de devenir un expert flirteur!

Imaginez que vous êtes la personne la plus extraordinaire sur terre et que vous êtes un cadeau du ciel pour la personne avec qui vous flirtez.

En fait, pour flirter, vous devez avoir une confiance énorme en vous-même, une confiance que vous devez développer. Un être confiant avant tout «oui» à la vie, en commençant par ce qui est le plus près de lui-même, c'est-à-dire... sa propre personne. Très volontiers, il reconnaît ses propres limites physiques; il les accepte avec le sourire, sachant très bien, par exemple, qu'il ne peut facilement raccourcir son nez épaté, arranger ses oreilles en chou-fleur, encore moins atteindre la taille de 1,85 mètre! Peu importe ses petits défauts, il est résolument prêt à «faire face à la musique», si ce n'est à changer la face du monde!

La confiance repose donc sur l'affirmation de soi et sur tout ce langage intérieur, ce bagage d'idées et de pensées intimes plus ou moins claires qui s'entassent, s'accumulent et parfois nous encombrent... Lorsqu'elles nous envahissent, il règne un grand désordre en nous; impossible de voir clair en soi, même au clair de lune! Que faire dans ce cas, sinon retourner aux sources du langage, c'est-à-dire aux mots. Quels mots utilisons-nous dans la vie courante? Sont-ils essentiellement négatifs?

La confiance a besoin d'être alimentée de bons mots: «prodigieux, extraordinaire, magnifique, merveilleux, super, suprême, hors du commun, génial, exceptionnel...» À vous de choisir ceux qui vous font vibrer, vous donnent des ailes, vous transportent sur la courbe de l'arc-en-ciel! Notez-les et répétez-les, au besoin insérez-les dans votre portefeuille, car chaque mot possède son énergie propre.

Ayez confiance en vous et soyez persuadé que vous avez tout pour plaire à cette personne de rêve qui se trouve devant vous.

Cette personne de rêve est d'une beauté inimaginable et a un charme fou, et vous craignez que votre apparence physique ne soit pas à la hauteur? Pensez plutôt que vous possédez en vous des valeurs précieuses qu'elle recherche peut-être depuis fort longtemps et qu'il est possible que vous soyez tout à fait la personne qu'il lui faut! En fait, une personne sûre d'elle projette une image de force intérieure et attire énormément les autres par sa personnalité magnétique.

Soyez assuré que vous êtes assez bien pour parler à cette personne de rêve. Lorsque vous voyez une personne qui vous fascine, qui vous attire, qui vous fait vraiment vibrer, au lieu de rester paralysé et de la considérer comme inaccessible, sachez vous convaincre que vous en valez la peine, que vous êtes à la hauteur. Osez l'aborder et faire le premier pas pour développer davantage de confiance en vous. Flaubert écrivait: «Elle lui parut donc si vertueuse et inaccessible que toute espérance l'abandonna.»

Placez des messages positifs partout dans la maison: collez-en sur les miroirs, sur le frigo, sur l'oreiller. Un exemple: «Avoir du courage, c'est laisser parler son cœur!» Enfin, écrivez vous-même des messages personnalisés et qui vous conviennent spécifiquement. Exposez dans la maison les cartes de compliments que des amis vous ont écrites; on reçoit tous à un moment de notre vie des cartes qui sont très valorisantes, qui disent des choses que nos amis pensent vraiment à notre sujet. Lorsqu'on reçoit de telles cartes, au lieu de les ranger dans un tiroir ou de les jeter, il est bon de les laisser à la vue et de les relire souvent, voire tous les jours. Souvenez-vous que nos amis nous perçoivent beaucoup mieux que nous nous voyons nous-mêmes et nous jugent mieux également. Faites la liste de tous vos talents et relisez-la souvent.

Faites-lui sentir que vous – et vous seul – savez qu'elle est la personne la plus fascinante sur Terre.

Montrez-vous très intrigué par la personne que vous voulez séduire. Accordez-lui beaucoup d'importance. Posez-lui des tas de questions. Faites en sorte qu'elle se sente irrésistible. Regardez-la comme si elle vous hypnotisait, comme si elle exerçait sur vous une séduction troublante. Ayez l'air envoûté par elle. Montrez-vous captivé par la puissance de son regard, ébloui par sa présence, charmé, séduit, émerveillé, enchanté, voire ensorcelé par elle comme si elle exerçait sur vous un effet magique. Donnez-lui l'impression que sa compagnie est la chose la plus précieuse au monde pour vous à ce moment précis.

Flattez l'ego de l'autre.

Donnez à votre partenaire l'impression qu'il est sensationnel, formidable, extraordinaire. Faites-lui des compliments et agissez de façon qu'il se sente bien, valorisé, merveilleux et important. Utilisez des superlatifs: «Tu es la personne la plus originale – ou la plus merveilleuse – que j'aie jamais rencontrée...» ou: «Tu es vraiment le meilleur orateur que je connaisse. J'admire l'étendue de ton vocabulaire...» ou encore: «Tu as les yeux les plus vivants, les plus brillants que j'aie jamais vus...» On dit que la meilleure façon de retenir l'attention de quelqu'un et de soutenir son intérêt, c'est de flatter son ego. Tout le monde aime entendre parler de soi d'une façon très flatteuse. Complimentez l'autre au moins une fois par jour, sur son apparence, ses qualités ou ses accomplissements.

On vous invite à danser! Dites «oui», même si ce n'est que pour une seule danse. Acceptez le plus grand nombre de propositions.

Vous serez ainsi plus «visible» sur la piste de danse. On vous remarquera et c'est ainsi que plus de gens viendront vous demander de danser avec eux. Si la personne qui vous invite ne vous plaît pas particulièrement, que vous ne désirez pas passer beaucoup de temps avec elle, dites-lui que vous acceptez «pour une danse seulement» (à moins qu'il s'agisse d'une lambada...) et, à la fin de la danse, dites-lui au revoir et retournez à votre place. Votre politesse fera en sorte que la personne ne se sentira pas rejetée. De plus, votre attitude positive encouragera les autres à venir vous inviter. En effet, si les autres vous voient refuser une danse, deux danses, trois danses, ils craindront que vous les rejetiez également.

Montrez-vous bon joueur et accordez au moins une première danse à chaque partenaire qui a la gentillesse de venir vous inviter.

Attention de ne pas flirter de façon choquante en envoyant sans le vouloir un message ambigu que l'autre risque de mal interpréter.

Rappelez-vous que le flirt est subtil. Ce n'est ni du harcèlement sexuel ni une approche à connotation sexuelle. La moindre gaucherie risque de provoquer des résultats tout à fait contraires à ceux que l'on voulait obtenir. Au lieu d'attirer une personne, on risque de l'éloigner par une simple parole déplacée.

Vous devez rapidement établir votre crédibilité afin d'inspirer confiance.

Montrez que vous avez des racines. Parlez des liens qui vous unissent à votre famille. Racontez, par exemple, qu'au cours de l'après-midi, vous avez aidé votre frère à bâtir sa terrasse. Vous appartenez à un organisme, à un groupe social? Mentionnez-le subtilement. Parlez de l'endroit où vous travaillez, glissez quelques mots au sujet de vos collègues de bureau. Parlez de gens avec qui vous avez des liens pour que l'autre comprenne rapidement qui vous êtes ou d'où vous venez.

Démystifier le flirt.

Si vous êtes du genre conservateur, en gestes et en pensée, vous avez probablement plus d'un doute à propos du flirt. Vous trouvez trop dangereux de flirter avec des inconnus. Ce peut être le cas si vous le laissez aller au-delà d'un simple jeu. C'est une façon divertissante de rencontrer quelqu'un... une façon de manifester votre intérêt à un inconnu. Le flirt, en tant que tel, n'est pas une étape dangereuse, pourvu que vous vous trouviez dans un lieu public, et non seul avec l'autre personne. Vous pouvez déterminer s'il y a un danger en voyant le genre de réaction que vous recevrez. Il n'est pas question d'accepter un comportement agressif! Et ce que vous ferez après qu'on vous aura remarqué, cela dépend de vous!

Voici quelques-unes des questions les plus courantes à propos du flirt.

Comment puis-je savoir si la personne avec qui je flirte est disponible?

Vous ne pouvez pas le savoir avec certitude. À moins de remarquer un anneau nuptial, ou à moins que quelqu'un vous dise que cette personne est célibataire, il vous sera impossible de le savoir au premier coup d'œil. Si la personne répond favorablement à votre flirt, vous pouvez laisser tomber une remarque dans votre conversation, du genre «Êtes-vous venu avec votre femme (ou votre mari)?», «Attendez-vous votre partenaire?», ou «Votre femme (ou votre mari) est chanceuse (ou chanceux).»

Je serais gêné si l'autre personne s'apercevait que je suis en train de flirter!

Pourquoi? Vous ne faites rien de mal; en fait, vous prenez contact de façon flatteuse et amusante, comme un enfant qui joue un jeu innocent. Il y a plus de chances pour que l'autre personne soit contente qu'en colère: alors, n'hésitez pas. Comme je l'ai dit plus haut, le flirt est un atout social essentiel!

Les inconnus avec qui je flirte vont penser que je couche avec n'importe qui et vont tenter d'abuser de moi.

Même si le flirt est un jeu, vous êtes un adulte. Personne ne pourra abuser de vous si vous dites non!

Est-il approprié de flirter lors d'une rencontre d'affaires?

Si l'ambiance est à l'interaction sociale, il n'y a aucun problème, pourvu que ce soit fait avec goût et avec tact. Si toutefois la corporation s'objecte fortement à ce que les employés fraternisent, réservez votre côté flirteur pour les heures après le travail!

Flirter, c'est pour les jeunes, je suis trop vieux pour flirter!

C'est absurde! Flirter, c'est amusant pour tout le monde. Il n'est jamais trop tard pour trouver un partenaire intéressant. Si vous voulez fréquenter quelqu'un, allez-y et flirtez... C'est revigorant!

Ce n'est pas un endroit approprié au flirt.

Il n'y a pas de bon ou de mauvais endroit pour flirter, sauf à un enterrement ou à l'unité des soins intensifs! Ce qu'il faut retenir, c'est que si vous repérez quelqu'un qui vous attire, votre flirt l'aidera à vous remarquer!

Ce n'est pas en flirtant que je trouverai quelqu'un avec qui m'engager de façon sérieuse.

Pourquoi pas? Flirter, c'est tout simplement une façon d'attirer l'attention de quelqu'un. Lorsque vous aurez toute l'attention de cette personne, vous pourrez alors évaluer son degré de sincérité.

Pour flirter, il faut avoir du charisme, être extroverti et audacieux.

Pas nécessairement. Vous n'avez qu'à vouloir rencontrer des gens du sexe opposé, à croire en vous-même, et à laisser briller votre confiance.

Est-ce qu'il est permis à une femme de flirter?

Autrefois, les filles étaient censées être soumises et saintes nitouches. Mais pas dans le monde actuel! Les hommes n'ont plus le monopole des approches audacieuses: un flirt féminin subtil peut sidérer un homme! Alors, mesdames, faites valoir votre côté flirteur et SÉDUISEZ cette personne excitante qui a attiré votre regard!

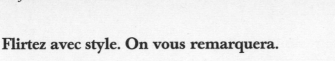

Flirtez avec style. On vous remarquera.

Généralement, on trouve les gens qui flirtent plus attirants parce qu'ils montrent beaucoup d'assurance. Ils projettent une image de confiance en eux, une image de gens amusants, audacieux, qui ont de l'esprit et de l'humour.

Une femme doit flirter si elle veut qu'un homme fasse le premier pas.

Flirter est une façon innée d'envoyer un message amoureux. Les hommes attendent souvent les signaux des femmes avant de passer à l'action, surtout de nos jours, car ils craignent d'être accusés de harcèlement sexuel ou encore ils sont plus réticents à être entreprenants avec la femme émancipée! Le flirt d'une femme envoie un message à l'homme, qui cesse alors d'hésiter et passe à l'action. Donc, mesdames, allez-y, et flirtez! Faites-le au moyen d'un sourire subtil, d'un regard espiègle, d'un rire charmeur, en écartant vos cheveux de votre visage, ou inventez votre propre stratagème de flirt!

Ne faites pas que flirter; réagissez aussi lorsqu'on vous aborde en flirtant.

À quelqu'un qui s'approche et qui vous lance: «Ne s'est-on pas déjà rencontré quelque part?», vous pouvez répondre d'un ton flatteur: «Non, je ne crois pas, car si je vous avais déjà vu ou déjà rencontré, je m'en souviendrais.» Vous lui donnerez ainsi l'impression qu'elle est une personne remarquable qu'on ne peut oublier. Si des gens vous semblent intéressants, aidez-les à flirter avec vous.

Vous êtes comme un diamant à l'état brut.

C'est à force de polir le diamant et de le tailler qu'on lui donne de plus en plus de valeur et d'éclat. Plus vous vous polirez, vous améliorerez et vous raffinerez, plus vous brillerez et plus vous projetterez une image de valeur. Plus vous perfectionnerez votre image intérieure et extérieure, plus on vous remarquera de façon positive.

Attention à votre timidité: elle peut vous jouer de vilains tours!

La timidité peut être interprétée comme du snobisme ou tout simplement comme un manque d'intérêt. Vous avez sûrement déjà rencontré quelqu'un de timide. Avant de le connaître, aviez-vous pensé qu'il était simplement timide? Ou bien l'aviez-vous plutôt jugé hautain, prétentieux ou snob (bien que les snobs ne rougissent pas...)? Avez-vous d'abord eu l'impression que cette personne n'était pas intéressée à vous? Plus tard, avez-vous compris que rien de tout cela n'était justifié et que la personne était tout simplement très gênée? Évitez de faire une telle erreur de jugement.

D'un autre côté, si vous êtes de nature plutôt réservée, gardez-vous de donner une impression d'indifférence à la personne du sexe opposé que vous désirez séduire. Ne détournez pas la tête dans la direction opposée. Souriez-lui plutôt et prenez soin de la regarder bien dans les yeux.

Vous ne savez pas comment flirter? Eh bien! ça s'apprend!

Vous pouvez vous initier au flirt à force d'observer les autres et en essayant de les imiter. Il y a quelqu'un dans votre famille qui est particulièrement flirt, par exemple, votre frère ou votre cousine? Vous avez remarqué des amis ou des collègues qui flirtent avec aisance et succès? Observez leurs techniques et tentez de faire de même. Observez les scènes de flirt à la télé. Étudiez également les techniques des grands séducteurs du cinéma, par exemple James Bond, James Dean, Greta Garbo, Marlène Dietrich, Marilyn Monroe, Rudolph Valentino. Inspirez-vous de l'art de Don Juan ou de Casanova, ces personnages célèbres dotés d'un don fascinant pour ensorceler leurs conquêtes.

Suivez des cours d'art dramatique.

Flirter est un peu du théâtre, du cinéma. Nous sommes tous des acteurs sociaux désireux d'être aimés et soucieux de projeter la meilleure impression de nous-mêmes. Dans la pièce *Comme il vous plaira,* Shakespeare a dit: «Le monde entier est un théâtre, et tous, hommes et femmes, en sont les acteurs.

Chacun y joue successivement les différents rôles d'un drame en sept âges...» Dans le cas du flirt, il n'avait pas tort. Et comme le dit Luc Plamondon dans une chanson interprétée par Diane Dufresne: «On fait tous du show-business!»

Montrez-vous disponible. Quelqu'un vous signale que son frère est célibataire? Voyez un peu s'il correspond au type de personne que vous voulez rencontrer et demandez-lui de vous le présenter!

En tout temps, soyez aux aguets. Être libre de tout lien amoureux vous permet de circuler à votre guise dans divers milieux, familial, professionnel ou autre et de croiser une personne qui pourrait vous lancer au beau milieu d'une conversation qu'Untel est à la recherche d'un partenaire. Posez-lui des questions concernant cette personne... Dites-lui, s'il y a lieu, que votre situation est un peu semblable à celle de cette personne et que vous seriez intéressé à faire sa connaissance. Dans la mesure du possible, obtenez de votre source d'information le numéro de téléphone du célibataire ainsi que tout autre renseignement pertinent. Ainsi, lorsque vous communiquerez avec ce frère, ce beau-frère ou cette sœur en panne d'amour, vous aurez en votre possession quelques données intéressantes pour amorcer la conversation.

Projetez l'image d'une personne autonome qui vit bien son célibat.

On entend rarement quelqu'un s'exclamer: «J'ai rencontré une formidable personne dépendante...» ou: «J'ai rencontré un être extraordinaire criblé de dettes...» ou encore: «J'ai rencontré une personne séduisante dans le besoin...». Montrez que vous vivez bien votre célibat, que vous avez des amis et des activités, que vous sortez, que vous avez un boulot intéressant, une vie de famille, en somme, que vous vivez une vie bien remplie. Évitez de dire des choses comme: «Je ne pars pas en vacances cet hiver parce que je suis toute seule...» ou encore: «Mon appartement n'est pas encore décoré parce que j'attends d'avoir rencontré quelqu'un...»

En démontrant une certaine indépendance, vous projetterez l'image d'une personne saine, équilibrée, capable de fonctionner de façon autonome dans la vie. Vous n'en serez que plus désirable. Chose certaine, vous n'aurez pas l'air d'avoir besoin d'une «béquille».

Faites une liste de vos talents, de vos habiletés et de vos aptitudes et utilisez-les dans vos techniques de flirt.

Ce qui vous aidera grandement à dresser cette liste, c'est l'autoportrait dont il est question dans l'introduction du présent ouvrage. Relevez les talents, les habiletés et les aptitudes que vous y avez énumérés. Par exemple, si vous êtes doué pour l'écriture, achetez toujours des cartes en blanc et écrivez des messages «flirts» à vos partenaires potentiels. Si vous avez l'habitude du téléphone à cause de votre travail, flirtez au téléphone. Vous avez une aptitude pour le dessin, la caricature ou la peinture? Envoyez-lui un croquis ou dessinez son portrait. Si vous pouvez voir l'avenir dans les cartes ou dans les lignes de la main, flirtez en lui prédisant son avenir, avec vous, bien sûr.

Vos dons peuvent être artistiques ou littéraires. À la moindre occasion, démontrez vos talents. Montrez-vous intéressé à votre partenaire tout en vous divertissant. Si vous avez beaucoup d'habileté dans l'art oratoire, flirtez en lui lisant des poèmes ou en lui citant des pensées célèbres. Si vous êtes chanteur, chantonnez-lui des paroles qui lui iront droit au cœur. Vous jouez du piano? Faites-lui comprendre du regard que la pièce de musique que vous interprétez lui est dédiée tout spécialement.

Plutôt que de parler de vos talents, permettez aux autres de les découvrir subtilement à travers vos gestes et votre façon d'agir. Montrez de l'ingéniosité, de la finesse, de l'entregent, du doigté, de la perspicacité, de l'adresse, de la dextérité, de l'intelligence et de la compétence dans votre façon de flirter.

Profitez de toutes les occasions que vous avez de flirter, même si vous savez que cela ne résultera pas nécessairement en un rendez-vous.

Vous développerez ainsi une habileté naturelle à flirter. Pratiquez le flirt dans toutes les activités de votre vie quotidienne. En déjeunant seule au restaurant, flirtez avec le garçon qui vous sert. Flirtez avec le chauffeur d'autobus lorsque vous vous rendez à votre travail. Flirtez avec vos collègues de bureau. Flirtez avec votre instructeur de tennis ou avec votre moniteur de ski. Flirtez avec le commis qui vous sert au magasin, avec votre chauffeur de taxi, vos amis, votre frère ou votre sœur. Taquinez, faites des blagues, complimentez et souriez. Ne vous limitez pas à flirter exclusivement avec un partenaire potentiel du sexe opposé qui correspond au groupe d'âge que vous recherchez. Flirtez avec un peu tout le monde et vous deviendrez rapidement un expert en séduction. C'est ainsi que vous développerez l'aisance qui vous garantira du succès lorsque vous rencontrerez la personne de vos rêves.

Faites des choses qui rehaussent l'image que vous avez de vous-même.

Fréquentez des gens que vous admirez beaucoup et qui ont, par exemple, un statut social plus élevé que le vôtre. Essayez de faire connaissance avec des personnes célèbres; c'est toujours flatteur de pouvoir dire qu'on les a déjà rencontrées personnellement. Fréquentez des gens qui sont influents ou qui ont une certaine notoriété. Il peut s'agir de politiciens, de comédiens, d'animateurs de radio, de présidents de compagnies ou de directeurs de clubs sociaux.

Devenez membre d'une corporation professionnelle ou d'un regroupement prestigieux qui vous procure un agréable sentiment de fierté et d'appartenance. Assistez à des événements grandioses ou faites du bénévolat pour des enfants, des personnes âgées ou des personnes malades. Vous aurez l'agréable l'impression d'avoir accompli quelque chose de valable. Faites des choses qui vous valoriseront, qui vous feront sentir important. Posez des gestes qui feront en sorte que vous vous aimerez encore plus. Occupez-vous. Parrainez un enfant. Soyez un «grand frère» ou une «grande sœur». Visitez régulièrement une personne âgée chez elle ou à l'hôpital. Respectez l'environnement.

Gâtez-vous. Portez des vêtements dans lesquels vous vous sentez à l'aise, des tenues vestimentaires qui vous plaisent quand vous vous regardez dans une glace. N'ayez jamais l'air négligé. Soyez toujours bien coiffé; mesdames, maquillez-vous, ne serait-ce que légèrement; messieurs, ayez la barbe bien taillée; enfin, accordez-vous tous ces petits soins qui font que, lorsque vous vous regardez dans le miroir, vous aimez l'image intérieure aussi bien qu'extérieure qu'il vous renvoie.

Un autre facteur qui aide beaucoup à rehausser l'image qu'on a de soi, c'est d'être honnête avec soi-même et envers les autres, de n'avoir jamais rien à se reprocher.

Ayez chaque jour de trois à cinq flirts réussis.

Il est certain qu'au cours d'une journée, on peut flirter fréquemment, à différents endroits, et provoquer à certains moments beaucoup d'effet, et à d'autres moins. Cependant, assurez-vous que parmi la quantité de flirts que vous tentez durant une même journée, vous comptiez au moins trois à cinq flirts réussis, des flirts qui vous permettent d'attirer l'attention des gens, de susciter leur intérêt, des flirts grâce auxquels vous provoquez chez eux une réaction favorable et vous arrivez même à les faire rire. Réussissez des flirts de qualité.

Projetez l'image de la réussite grâce à votre habillement et faites ainsi de chaque jour une occasion spéciale.

Vous avez dans votre garde-robe des tenues vestimentaires que vous réservez pour des occasions spéciales mais, au cours d'une année, il arrive que de telles occasions ne se présentent que rarement, parfois même jamais. Pourquoi ne pas faire de chaque jour un événement spécial et porter plus souvent ces fameux beaux vêtements avant qu'ils ne se démodent sans même avoir été usés. En adoptant la philosophie de faire de chaque jour un événement spécial, vous pouvez aller jusqu'à provoquer un véritable événement spécial, qui sait?

Projeter l'image de la réussite signifie aussi porter des vêtements propres, sans taches et bien pressés, des vêtements qui ont tous leurs boutons et dont les coutures ne sont pas défaites. Messieurs, attention: un pantalon avec les poches trop pleines est inesthétique. Vous avez trop de choses à transporter avec vous? Utilisez un sac à main pour hommes. Portez des chaussures et des bottes bien cirées; attention aux talons effilochés ou dont le caoutchouc est usé. Assurez-vous que vous portez le foulard et les gants qui se marient bien avec votre manteau pour avoir l'air élégant. Messieurs, portez une pochette qui s'agence avec votre cravate. Mesdames, si vous en avez, portez vos bijoux: colliers, boucles d'oreille, bracelets. Choisissez des accessoires qui complètent de façon agréable votre tenue vestimentaire.

Prenez soin de vos ongles: qu'ils soient toujours propres et bien taillés. Utilisez une crème pour avoir des mains jeunes à la peau satinée. Attention aux ongles rongés. Enlevez le poli à ongles défraîchi ou écaillé.

Ayez une haleine fraîche. Prenez soin de vos dents, qu'elles soient blanches et brillantes. Voyez le dentiste régulièrement pour un nettoyage et le traitement des caries. Que vos cheveux soient toujours propres. Les cheveux gras et les repousses de cheveux décolorées donnent une très mauvaise impression. Si vos moyens vous le permettent, visitez votre coiffeur chaque mois, pour que vos cheveux soient bien coupés. Mesdames, pas de mailles dans vos bas. Ayez toujours dans votre sac à main ou au bureau une paire de bas additionnelle, pour vous dépanner en cas d'accident.

Peu à peu, avec le temps, collectionnez les beaux objets. Procurez-vous une belle plume pour signer vos documents. J'ai vu récemment un auteur célèbre dédicacer le livre qu'il venait de publier avec un stylo Bic à 2,95 $! Ayez de beaux boutons de manchettes, un attaché-case élégant, un sac à main de qualité, un porte-clés exclusif. Choisissez un portefeuille, un agenda et un carnet de numéros de téléphone en cuir fin. Tous ces beaux objets reflètent la classe et projettent une image de réussite.

Mesdames, favorisez les beaux objets de maquillage, particulièrement si vous appliquez votre rouge à lèvres à table... Autrefois, l'étiquette stipulait qu'on ne devait pas se remaquiller à table, mais depuis les années 1990, les règles ont changé. À la

fin du repas, une femme peut maintenant rafraîchir discrètement son rouge à lèvres, peu importe l'endroit. C'est d'ailleurs
pour cette raison que, de nos jours, on les présente généralement dans de beaux boîtiers. Certains contenants à cosmétiques
sont très esthétiques et sont faits pour être montrés.

Mesdames, que votre maquillage soit bien fait également. Il
n'est pas nécessaire d'en porter beaucoup; l'important, c'est
qu'il soit soigneusement réalisé. Attention aussi de ne pas
porter plus d'une bague par main: c'est une question d'élégance et d'étiquette. Ayez donc deux bagues au maximum, une
à chaque main.

S'habiller pour le succès est un art. Isabelle l'a appris un
jour où il lui semblait que rien ne fonctionnait dans sa vie. Elle
a décidé de prendre un après-midi de congé et de se gâter un
peu afin de se remonter le moral. Elle a choisi dans sa garde-
robe une robe rouge remarquable, qui lui allait très bien. Elle a
pris un rendez-vous chez le coiffeur, s'est fait faire une nouvelle
tête, s'est bien maquillée et, en fin d'après-midi, plutôt que de
revenir chez elle, a décidé d'aller au cinéma. Avant la représentation, elle est allée au restaurant d'à côté pour y prendre une
bouchée. Elle était éclatante avec ses cheveux bien coiffés, sa
robe très colorée, son maquillage impeccable. On voyait qu'elle
se sentait beaucoup mieux dans sa peau.

Un homme au restaurant lui a souri et a réglé son addition.
Il l'a ensuite invitée à boire un café à sa table. Comme vous
l'avez deviné, Isabelle n'est jamais allée voir le film. Elle et son
partenaire ont passé la soirée ensemble. Ils se sont fréquentés
pendant six mois. Elle avait choisi dans sa garde-robe le vêtement qui l'avantageait le plus, elle s'était habillée pour le succès
et elle a gagné.

Regardez l'autre droit dans les yeux.

Apprenez à fixer une personne dans les yeux. Soutenez son
regard. Cligner des yeux révèle souvent un manque de confiance en soi; ce n'est certainement pas l'image que vous désirez
projeter à votre nouvelle conquête. Ce geste est également un
signe de nervosité et vous pouvez très bien le contrôler. Pour

maîtriser le clignement des yeux, exercez-vous à fixer aussi longtemps que possible la flamme d'une chandelle. Une autre façon de corriger ce tic nerveux consiste à vous regarder dans le miroir jusqu'à ce que vous en arriviez à prolonger la fixité de votre regard. Vous pouvez également proposer à des amis d'effectuer le même entraînement en votre compagnie.

Voyez jusqu'où le langage des yeux peut mener. Dans un restaurant, une fille et un garçon se fixent du regard. Tout en continuant de le regarder, elle sort enfin une cigarette sur laquelle elle écrit son nom et son numéro de téléphone. Elle se lève, marche, dépose au passage la cigarette dans le cendrier sur la table du garçon, qu'elle regarde toujours droit dans les yeux et, sans lui adresser un mot, elle part. Subjugué et intrigué par cette fille, le garçon lui téléphone le soir même et ils décident de se revoir. À vous de concocter d'autres situations du même genre. Soyez inventif, laissez votre imagination vous transporter sans ménagement!

Soutenez toujours le regard de votre interlocuteur quelques secondes de plus que lui.

Vous provoquerez ainsi chez lui un effet intrigant, voire dérangeant et vous aurez également une meilleure maîtrise de la situation. Vous gagnerez ainsi un certain contrôle sur lui.

Évitez de regarder autour de vous lorsque vous parlez avec quelqu'un.

Souvent les gens à qui vous parlez regardent n'importe où avec l'air de ne pas se préoccuper de vos propos; c'est une attitude plutôt décourageante, parfois même insultante. Peut-être agissent-ils ainsi à cause de leur timidité, mais il reste que leur façon d'agir vous suggère qu'ils ne s'intéressent pas à vous.

Alors, gardez-vous de projeter une telle impression sur votre nouvelle conquête. Ne tournez pas la tête chaque fois que quelqu'un de nouveau entre dans la pièce; concentrez-vous uniquement sur la personne à qui vous parlez. Regarder d'autres gens pendant qu'elle vous parle pourrait même lui donner l'impression que vous cherchez à faire la cour à quelqu'un d'autre, un message vraiment contraire à celui que vous désirez communiquer.

Fixez son «troisième œil» et transmettez-lui un message.

Vous avez de la difficulté à fixer quelqu'un droit dans les yeux? Si vous êtes vraiment trop gêné, vous pouvez fixer le «troisième œil» de la personne, c'est-à-dire la regarder entre les deux yeux, précisément entre les sourcils. Cette dernière ne s'en apercevra absolument pas et elle aura vraiment l'impression que vous la regardez droit dans les yeux.

D'ailleurs, rappelez-vous que le «troisième œil» est un point d'hypnose. Servez-vous-en! En fixant directement le «troisième œil» d'une personne, vous pouvez lui transmettre le message que vous voulez, peut-être même le message: «Je suis une personne extraordinaire pour toi; je suis la personne qu'il te faut à tout prix.»

L'air moqueur, pratiquez les clins d'œil.

Quelqu'un qui fait des clins d'œil projette une image amusante et a nettement l'air de flirter. Un clin d'œil peut aussi éveiller la complicité et vous donner un air taquin, blagueur, boute-en-train, enjoué, espiègle et pince-sans-rire. En utilisant ce procédé, vous avez l'air de quelqu'un qui aime plaisanter, qui affiche une certaine gaminerie.

Jouez avec vos lunettes de soleil de façon sexy.

Vous pouvez également vous adonner à ce petit jeu de flirt avec vos verres réguliers si vous pouvez vous en passer quelques minutes. De toute façon, il est important que celui avec qui vous flirtez puisse bien voir vos yeux. Baissez donc simplement vos lunettes sans les enlever complètement et fixez-le du regard. Descendez-les sur la pointe de votre nez et replacez-les ensuite. Utilisez-les comme un objet qui attire l'attention: faites-les tourner autour de vos doigts tout en fixant la personne de manière un peu provocante.

Amusez-vous avec un objet de façon suggestive pour attirer l'attention.

Il n'y a pas que les lunettes de soleil! Il y a aussi les colliers, madame, ou le col de votre chemise, vos cheveux, votre barbe ou votre moustache, monsieur. Avec quoi peut-on jouer également? Avec une cigarette, un paquet de cigarettes, un briquet, un trousseau de clés, un crayon ou un fruit. Ou encore un verre, à l'heure de l'apéro ou dans un bar. Même un journal peut s'avérer un accessoire intéressant. En effet, si vous êtes assis dans un café, dans le métro, dans l'autobus ou dans une gare, vous pouvez vous amuser à monter le journal pour cacher vos yeux, puis à le baisser un peu pour montrer le bout de votre nez et regarder la personne qui vous plaît. Flirtez en jouant à cache-cache avec votre journal, ou encore avec une revue ou un livre.

Soyez rieur, vivant, animé, dynamique; respirez la joie de vivre.

Vous serez alors comme un aimant qui attire les autres. L'état d'âme que vous projetterez créera une force d'attraction, car tout le monde est séduit par une personne gaie, une personne qui aime la vie. Les gens aiment rire.

Vous êtes un bon imitateur? Alors faites toutes sortes de mimiques qui puissent amuser les gens autour de vous. Rappelez-vous qu'il s'agit encore ici de langage non verbal. Si vous avez l'air rieur et que votre comportement est enjoué, épanoui, rigolo, énergique et spontané, vous exercerez sur votre entourage une force d'attraction peu commune. Votre magnétisme fera en sorte que les autres rechercheront votre compagnie simplement parce que votre présence est des plus agréables.

Faites preuve de bonne humeur, d'enthousiasme, d'entrain et de jovialité. Soyez rayonnant. Vous projetterez ainsi l'image d'une personne bien dans sa peau, satisfaite de sa vie sur tous les plans. Vous donnerez l'impression que la vie est pour vous une fête et que, par conséquent, vivre avec vous pourrait être une fête constante.

Souriez de bon cœur, d'un sourire sympathique et sincère. Essayez d'imaginer votre sourire «chaleureux comme un rayon de soleil capable de faire fondre un iceberg».

Assurez-vous que votre sourire soit naturel, spontané, qu'il n'a pas l'air forcé. Rappelez-vous que vous devez regarder les gens bien droit dans les yeux quand vous leur souriez. Souriez-leur même s'ils ne vous sourient pas: ils ont peut-être grand besoin du sourire que vous leur adressez. Si vous souriez à des gens que vous ne connaissez pas, ils seront peut-être étonnés de prime abord mais, une fois la surprise passée, vous remarquerez que la plupart d'entre eux vous répondront par un sourire, ce qui vous fera du bien à vous aussi. C'est l'«effet boomerang».

En souriant, vous projetterez l'image d'une personne affectueuse, amicale, bienveillante et qui a de la compassion pour les autres, l'image d'une personne cordiale, empathique, fraternelle, qui s'intéresse aux autres. Si vous souriez beaucoup, vous deviendrez une personne très populaire en société. Les personnes qui sourient généreusement sont souvent des personnes tendres.

On connaît tous au moins une personne qui n'est pas nécessairement très belle physiquement, mais dont le sourire illumine le visage et attire tous les regards. On dit généralement d'elle: «Comme elle a du charme...» Tentez d'imiter son sourire. En somme, ayez un sourire chaleureux, amical et enthousiaste. Un sourire est un très beau cadeau que l'on offre à ceux qu'on aime, à ceux qui nous attirent, ou encore à ceux qui souffrent. Un sourire, c'est gratuit et ce simple geste peut transformer une journée morne en une journée rayonnante. Regardez la personne devant vous. Pourquoi ne pas lui sourire? Vous pouvez également vous procurer une rose ou quelques fleurs sauvages. Souriez à une personne attrayante du sexe opposé et offrez-lui-en une. Vous allez la surprendre, l'étonner et lui faire plaisir.

Voyez comment Balzac saisissait bien le langage non verbal; il a écrit: «Elle lui sourit en lui montrant qu'elle le comprenait bien...» Vous pouvez vous aussi projeter l'image d'une personne compréhensive. Un petit sourire, un visage radieux, c'est très agréable pour les autres. Les gens souriants projettent également l'image de personnes positives.

Pour attirer l'attention de quelqu'un qui ne vous regarde pas, faites en sorte qu'il imite vos gestes en le fixant et en utilisant la transmission de pensée.

Avec un peu de patience, vous finirez par attirer son regard. Par exemple, Mademoiselle, vous voyagez à bord d'un autobus où se trouve un homme qui vous plaît, mais qui vous tourne presque le dos. Il ne vous regarde pas. Essayez de lui transmettre une pensée en fixant sa tête. Grattez-vous l'oreille et, en vous concentrant, suggérez-lui de vous imiter. Observez-le. Vous constaterez qu'après un moment, il répétera le même geste que vous. Vous pourrez ensuite tourner une mèche de cheveux entre vos doigts et lui transmettre la suggestion de faire de même. Vous verrez que sa réaction ne tardera pas si vous exploitez bien le pouvoir de votre pensée. Son subconscient captera votre message de sorte qu'il touchera aussi sa chevelure... Éventuellement, vous pourrez lui suggérer très fortement de vous regarder et vous constaterez avec satisfaction qu'il tournera la tête et posera son regard sur vous. À la longue, ce procédé devient un jeu très amusant. À force de le répéter, vous réussirez ce truc à tout coup avec de plus en plus de rapidité. Amusez-vous à ce jeu avec des copains. Essayez à deux ou trois de transmettre une même pensée à une autre personne. «L'union fait la force!», dit-on. Plus on est nombreux à transmettre un même message à quelqu'un, plus le pouvoir de la pensée devient fort et efficace.

Soyez un miroir: c'est une façon intéressante et efficace de flirter.

C'est un fait: les gens semblent attirés par ceux qui leur ressemblent. Remarquez, dans votre vie, combien de choses vous avez en commun avec vos amis. Vous avez peut-être des emplois semblables, des familles semblables, un passé semblable... il n'est que naturel que vous soyez attiré vers ce qui vous est familier!

Une façon de se rapprocher d'une personne consiste à devenir, pendant un moment, comme cette personne. Imitez ses gestes physiques: sa façon de se tenir debout ou assis, l'expression de son visage, sa façon de tenir son verre, le ton de sa voix. Ce genre de reflet physique, c'est une puissante technique de flirt. En un sens, c'est un flirt indirect, car lorsque vous reflétez correctement − avec des mouvements subtils et naturels −, c'est tout comme si vous suiviez l'autre et que l'autre était celui qui prend l'initiative. La personne que vous admirez sera attirée vers vous comme par un aimant, et aura l'impression que c'est elle qui donne la chasse!

Un exemple de «stratégie du miroir» en action!

Vous êtes devant le célibataire dont l'hôtesse vous a parlé. Il tient son verre de la main gauche, debout près de la table des hors-d'œuvre, le pied gauche curieusement croisé par-dessus l'autre. Approchez-vous de la table, grignotez un hors-d'œuvre pour faire diversion, puis prenez la même position que votre candidat potentiel. Observez-le attentivement, et suivez ses gestes, c'est tout, vous n'avez pas à dire un mot ni à vous présenter... vous n'avez qu'à refléter ses moindres gestes. Bien sûr, s'il éternue dans le bol de punch, se mouche ou embrasse l'hôtesse, vous devrez probablement songer à trouver un autre candidat à imiter!

Lorsque vous faites le miroir, essayez de vous déplacer de façon discrète; évitez les mouvements mécaniques. Au besoin, répétez avec vos amis, ou imitez les mouvements de votre chat: c'est une excellente forme d'exercice!

Refléter de façon précise, c'est comme un radar: cela nous dit que quelque chose de familier s'en vient. On vous a probablement reflété bien des fois sans que vous ne le remarquiez. La prochaine fois que vous vous trouverez dans une boutique de vêtements, observez le vendeur ou la vendeuse... Les meilleurs vendeurs reflètent les attitudes et les mouvements de leurs clients, et finissent par leur vendre des vêtements dont ils n'ont pas vraiment besoin!

Il n'est pas nécessaire d'être audacieux pour refléter quelqu'un: c'est une activité silencieuse et discrète. Tout ce que vous avez à faire, c'est d'être sensible à l'individu, et d'être observateur! Pour les gens timides et réservés, c'est une excellente façon de flirter.

Vous vous demandez peut-être, avec scepticisme, comment le fait de reproduire la posture d'une personne peut attirer celle-ci. L'imitation est la forme de flatterie la plus sincère: lorsque vous agissez comme quelqu'un que vous admirez, vous lui signifiez que vous l'approuvez, que vous l'aimez et que vous aimez son allure. Refléter est une technique interpersonnelle qui charme sans paroles: c'est une invitation à aller flirter avec vous!

Lorsque votre interlocuteur vous parle, écoutez-le bien.

Soyez «suspendu» à ses lèvres et concentrez toute votre attention sur lui afin qu'il se sente comme le centre de l'univers. Intéressez-vous à lui comme s'il était l'être le plus passionnant au monde, comme s'il était tout pour vous. Donnez-lui l'impression que rien ni personne d'autre n'existe pour vous. Soyez tout yeux tout oreilles. Vous donnerez à l'autre le sentiment qu'il est une personne très précieuse pour vous, qu'il représente votre principal centre d'intérêt, qu'il est très spécial, unique... en fait, qu'il est absolument extraordinaire. À force d'être écouté de cette manière, d'être dévoré du regard, il se sentira très important et son ego en sera flatté. Quant à vous, vous donnerez l'impression d'être une personne attentive, à la fois soucieuse et très respectueuse de l'autre. Ce faisant, vous serez doublement gagnant puisque vous apprendrez à mieux le connaître, à savoir ce qui l'intéresse et quels sont ses goûts; vous serez alors plus apte à déterminer si votre interlocuteur correspond à vos critères. Or, si votre réponse est «oui», vous aurez déjà quelques bonnes indications sur la manière de lui plaire et sur les petits détails qui lui feront grand plaisir.

Rapprochez-vous de lui lorsque vous parlez ensemble.

Lorsque vous conversez avec un partenaire potentiel, avancez d'un pas vers lui; rapprochez-vous naturellement, sans que cela paraisse... Si vous êtes assis à une table, bougez légèrement votre chaise ou penchez-vous de son côté, mine de rien. Cette attitude vous place en excellente position pour lui murmurer à l'oreille quelques confidences ou quelques mots doux.

De plus, la distance physique entre deux êtres, lorsqu'elle est trop grande, peut créer une impression de vide ou de froid. En réduisant cette distance, vous ouvrez la voie à la dimension intime; vous signifiez clairement à l'autre que vos rapports peuvent franchir les murs et les obstacles dressés entre vous. L'ambiance, jusque-là «polaire», devient alors un foyer polarisant vos êtres, leur accordant les sauf-conduits nécessaires à la poursuite de votre aventure.

En termes psychologiques, ce phénomène du rapprochement allant jusqu'au contact physique constitue une excellente police d'assurance pour le partenaire: il ne doute plus, car vous lui dites sans l'aide des mots: «Tu me plais!» Dès cet instant, un climat de détente s'installe et la conversation se trouve allégée, débarrassée du poids de l'incertitude – «Suis-je à son goût?» – ou de la peur de ne pas être à la hauteur...

Effleurez son bras en le fixant directement dans les yeux lorsque vous vous adressez à lui.

Tentez cette expérience – votre geste doit être très subtil, presque imperceptible – et observez sa réaction. S'il ne bouge pas et qu'il continue à vous parler, c'est qu'il apprécie le geste. Par contre, s'il réagit par un recul, c'est peut-être que vous l'avez surpris, voire choqué; dans ce cas, il est préférable d'éviter toute autre tentative de rapprochement physique. Cependant, si vous voyez que le partenaire apprécie vos effleurements, répétez-les. Au fur et à mesure qu'il les acceptera de bon gré, vous pourrez ensuite être plus audacieux et tenter de prolonger leur durée, de diversifier les zones de contact...

Si vous croisez sur le trottoir ou si vous apercevez dans un ascenseur une personne qui vous plaît, frôlez-la «accidentellement» afin d'attirer son attention.

Vous n'êtes pas nécessairement prêt à lui parler, mais vous voulez lui signifier votre présence, car cette personne vous plaît... Ou bien vous êtes dans un endroit où la musique est agréable, que ce soit dans un café, lors d'une soirée ou à un concert... eh bien! partagez tout simplement ces moments privilégiés sans vous adresser la parole. Le langage non verbal et le langage corporel, toujours très suggestifs, peuvent vous permettre d'établir une première complicité que les mots viendront peut-être par la suite confirmer et développer.

Le toucher est pour l'être humain un élément essentiel et vital. Il est étonnant de constater combien certaines personnes ont peur de toucher et d'être touchées. Elles semblent associer le toucher au désir sexuel. Elles ne font plus la différence... En revanche, elles débourseront volontiers des sommes fabuleuses pour des massages professionnels ou autres soins du corps; c'est une façon de se faire dorloter sans risque d'engagement émotif ou physique avec une autre personne.

Adoptez une démarche assurée.

Vérifiez votre posture devant un miroir: prenez soin d'avoir un port de tête «royal», poussez vos épaules vers l'arrière, tenez votre corps bien droit. Recherchez l'élégance dans la démarche. Les femmes gagneront à adopter une démarche légère et gracieuse. N'ayez surtout pas les épaules courbées vers l'avant comme si vous portiez le poids du monde sur votre dos. Un pas assuré vous donnera un air décidé. Vous aurez l'allure d'une personne sûre d'elle, qui sait ce qu'elle veut et où elle va dans la vie. En fait, vous afficherez votre confiance en vous-même, votre aisance et votre aplomb. Une démarche légèrement provocante – pas trop – peut aussi donner des résultats intéressants.

Ayez une attitude digne et fière.

Que vous soyez debout ou assis, en mouvement ou immobile, maintenez en tout temps un port de tête noble, voire aristocratique. Exercez-vous à faire des gestes et des mouvements lents, élégants et bien coordonnés. Portez attention aux personnages des scènes romantiques à la télévision ou au cinéma; appliquez-vous à reprendre devant un miroir certaines attitudes et certains mouvements que vous aurez remarqués chez eux.

Soyez posé et croisez les jambes avec élégance. Gardez-vous de balancer sans arrêt votre jambe croisée, une fâcheuse habitude qui peut s'avérer très agaçante pour les autres. Une image de dignité traduit une personnalité basée sur le respect de soi et même une certaine noblesse. Adoptez de belles manières; cela inspire généralement le respect. Manifestez donc de la retenue et maîtrisez vos faits et gestes. Ainsi, il se dégagera de vous un sentiment de calme, de distinction et de plénitude.

Attention aux bras croisés: une personne qui se croisent les bras donne l'impression d'être fermée aux autres.

Si vous avez l'habitude de croiser sans cesse les bras, essayez de corriger cette manie. Sinon, sans le vouloir, vous continuerez à refléter une image négative de vous-même. Placez plutôt une main – ou les deux – dans vos poches ou sur les hanches si vous vous tenez debout, et sur vos genoux ou sur les accoudoirs d'un fauteuil si vous êtes assis.

Débarrassez-vous de vos tics nerveux.

Les gens qui ont des tics ou des manies peuvent être très énervants pour les autres, si bien qu'on peut aller jusqu'à les éviter, voire les fuir. Connaissez-vous des gens qui ont des tics nerveux qui vous fatiguent? Autour de vous, certains se rongent les ongles, jouent sans cesse avec leurs cheveux ou se mordillent la lèvre sans arrêt. La concentration, la relaxation, la puissance de votre pensée et même l'auto-hypnose peuvent vous aider à vous débarrasser de vos tics nerveux.

Cependant, il existe des tics nerveux qui sont de nature convulsive, par exemple tous ces gestes brefs, automatiques, répétés involontairement et apparemment sans raison précise. Ces tics sont particulièrement difficiles à éliminer et nécessiteront parfois l'intervention d'un spécialiste. Au besoin, consultez-en un.

Ayez une poignée de main franche et ferme.

Vous a-t-on déjà tendu une main molle? Cela peut produire un effet extrêmement désagréable. La poignée de main, c'est une façon de se présenter, de saluer quelqu'un, de lui dire «bonjour». C'est aussi une façon de sceller une entente. Cependant, une poignée de main molle trahit un manque de confiance en soi. Par contre, une poignée de main chaleureuse est très cordiale. Bien qu'étant un geste simple, la poignée de main n'a rien de banal.

Tentez de faire en sorte que vos mains soient chaudes et sèches; il est plutôt déplaisant de se faire «serrer la pince» par une main glaciale ou moite. Si vous devez réchauffer vos mains, faites faire de la gymnastique à vos doigts en les pliant et les dépliant régulièrement dès que vous avez les extrémités des doigts froides. Si vos mains ont tendance à être moites, vous pouvez les frictionner avec de l'alcool camphré, ce qui aidera à en garder l'intérieur bien sec.

N'oubliez surtout pas de serrer la main de l'autre avec cœur, c'est-à-dire avec enthousiasme, entrain et intérêt, voire avec un brin de passion. Messieurs, attention à la fâcheuse tendance de donner une poignée de main trop forte, qui risque parfois d'être douloureuse, surtout pour les femmes qui portent des bagues.

Lancez des messages avec votre corps.

Vous voulez quelques suggestions pour entrer en contact avec quelqu'un? Monsieur, essayez le coup de la montre que vous secouez près de votre oreille comme si elle ne fonctionnait pas et demandez-lui l'heure... Mademoiselle, vous le remarquez, il vous éblouit alors que vous avez les bras pleins de sacs? Faites-lui voir que vous êtes chargée comme un mulet, faites semblant que vos paquets sont très lourds et regardez-le d'une façon suggestive afin qu'il vienne vous aider, ou encore demandez-lui directement de l'aide... Vous attendez votre manteau au vestiaire, vous l'apercevez et vous avez un petit coup de foudre? Faites semblant d'éprouver de la difficulté à enfiler votre manteau et placez-vous de manière qu'il vous voie. Peut-être offrira-t-il de vous aider? Remerciez-le, puis présentez-vous et prenez l'initiative de la conversation. Ce petit jeu est une excellente façon de constater s'il est galant.

Si vous voulez savoir qui est derrière vous, prétextez le truc de la montre qui ne fonctionne pas.

Vous êtes assis dans un endroit public – disons un autobus – et les gens devant vous ne vous intéressent pas. Cependant, vous aimeriez bien vous tourner pour voir ceux qui se trouvent derrière. Plutôt que de tourner carrément la tête et d'avoir l'air curieux, faites semblant que votre montre ne fonctionne pas, approchez-la de votre oreille et secouez-la. Tournez légèrement la tête vers la droite et jetez un coup d'œil en arrière... Ainsi, vous aurez réussi à voir qui était derrière vous d'une façon subtile et sans avoir l'air indiscret ou inquisiteur.

Faites-lui porter une consommation avec un message spécial.

Monsieur, vous êtes dans un bar, vous la voyez, elle vous plaît, vous hésitez à aller lui parler. Vous avez envie de sonder le terrain avant de vous aventurer. Offrez-lui une consommation que vous lui ferez porter avec un message court et original, écrit si possible au verso de votre carte d'affaires. Observez sa réaction lorsqu'elle vous regardera. Souriez-lui, portez-lui un toast et faites-lui un signe de tête en lui accordant un regard soutenu. Si elle accepte la consommation et qu'elle vous rend votre sourire, attendez un moment, puis osez vous approcher pour lui parler. Si une femme vous fait porter un verre, vous pouvez lui envoyer une fleur en retour.

Un exemple pour les dames? Vous êtes dans le métro, vous le voyez, il dort. Vous le trouvez beau et charmant; il vous semble adorable. Écrivez-lui un petit mot que vous glisserez entre ses doigts et qu'il trouvera lorsqu'il se réveillera. Ce peut être une phrase comme: «Tu as l'air d'un gentil ourson quand tu dors!» Votre message peut être soit anonyme, soit rédigé à l'endos de votre carte d'affaires.

Quant à vous, messieurs, vous attendez à l'aéroport que votre vol parte, vous la voyez et vous la trouvez si belle que vous décidez de lui écrire quelques mots. Pourquoi ne pas lui déclarer: «Je prendrais bien l'avion jusqu'au bout du monde avec vous.» Dans un restaurant, un homme peut envoyer ce message à une demoiselle qui lui plaît: «Le repas est bon, mais vous, vous semblez délicieuse...»

Si vous avez du rouge à lèvres, mesdemoiselles, parfumez une serviette de table portant l'empreinte de vos lèvres. Écrivez-lui ensuite un message au ton «sexy», par exemple: «En vous regardant, j'ai le sourire aux lèvres.» Ou encore cette fameuse phrase, plus audacieuse: «J'aimerais être une larme pour naître dans vos yeux, vivre sur votre joue et mourir sur vos lèvres.»

Danser est une façon de flirter.

En général, bouger au rythme d'une musique, c'est flirter. Cela a été confirmé par un psychologue américain qui a étudié la façon dont les femmes s'y prenaient pour flirter dans les bars pour célibataires. Vous pouvez vous donner un élan et vous pousser sur la piste de danse, ou tout simplement vous balancer sur le tempo tout en restant assise à votre table en train de siroter votre verre.

Mesdames, si vous sortez entre filles, n'attendez pas qu'un homme vous demande de danser avec lui, allez sur la piste de danse avec vos copines. De là, vous pourrez beaucoup mieux flirter! Ciblez l'homme de votre choix, placez-vous pour qu'il puisse vous remarquer, et montrez-lui ce que vous savez faire, tout en lui lançant des regards charmeurs. Il regarde déjà dans votre direction!

Flirtez au moyen d'un baiser!

Ou du moins, parlez de baisers! Personne ne s'attend à ce que vous couriez embrasser un inconnu, mais les anecdotes sur le baiser, voilà une façon amusante de capter l'attention de quelqu'un et d'entamer une conversation avec une personne du sexe opposé.

Établissez l'ambiance propice à quelques réparties de flirt, grâce à des expressions qui contiennent le mot «baiser». Faites-en un jeu... ou faites-en votre façon de flirter avec des personnes du sexe opposé. Demandez à l'autre s'il sait ce que veut dire «embrasser les pinces»... ou dites quelque chose comme «Saviez-vous que l'expression "embrasser la bonne" remonte au XVIIIe siècle et veut dire "se faire guillotiner"?

Pourquoi ne pas être un peu plus audacieux et souffler une bise à quelqu'un qui vous attire, de l'autre côté d'une salle remplie de monde? Après tout, il n'y a pas de mal à souffler une bise... c'est un doux flirt qui vous donne une raison d'aller trouver la personne pour la rassurer en disant que c'est un geste de grand respect qui remonte à 3000 ans avant J.-C.! Une approche aussi flirteuse entraînera sûrement au moins un baiser!

Catherine trouvait irrésistible l'homme assis seul à la table à côté d'elle. Elle voulait désespérément le rencontrer. Tentant vainement d'attirer son attention, elle caressa sa coutellerie. Puis, elle décida de lui envoyer un «bisogramme». Elle laissa l'empreinte de ses lèvres sur sa serviette de papier, et écrivit: «Monsieur, vous me donnez envie de flirter... Il fallait que je vous salue du bout des lèvres!» Les deux prirent un dessert ensemble et couronnèrent le toux avec ce merveilleux pousse-café sucré, un *Angel's kiss*!

Un petit «Bonjour» peut vous mener très loin.

Une personne peut avoir envie de vous parler, mais n'ose pas vous aborder. Un gentil «Bonjour» de votre part est peut-être le petit coup de pouce qu'elle attendait avant d'entreprendre une conversation avec vous. On ne peut vraiment pas savoir jusqu'où cette simple salutation risque de vous mener. Votre interlocuteur peut devenir un excellent ami et, qui sait, peut-être plus... Tentez votre chance...

Prenez une voix basse, un ton doux et sensuel.

Lorsqu'une personne parle bas et lentement, on est beaucoup plus porté à l'écouter. Pourquoi? Parce que l'on doit davantage tendre l'oreille pour l'entendre. C'est un phénomène psychologique qui a fait ses preuves. En amour, c'est la façon dont on préfère généralement se faire parler: doucement et avec sensualité. Personne n'apprécie les voix criardes, énervantes, ni les moulins à paroles qui ne savent pas s'arrêter. En parlant bas et lentement, vous produirez plus d'effet sur votre interlocuteur.

Pour améliorer votre façon de vous exprimer, enregistrez-vous à l'aide d'un magnétophone et étudiez soigneusement la façon dont vous vous exprimez. Si vous parlez trop rapidement, ralentissez votre débit. Si votre voix est trop aiguë, elle peut devenir énervante, alors efforcez-vous de baisser le ton. Si vous avez des problèmes d'élocution, consultez un orthophoniste. Pour maîtriser tous les aspects de l'expression orale, pourquoi ne pas vous inscrire à des cours de pose de voix?

Faites un compliment «personnalisé».

Abordez quelqu'un en le complimentant: c'est peut-être la meilleure façon de réussir un premier contact. On peut le faire partout. Toute personne a des aspects de sa personnalité que l'on peut complimenter. Peut-être ne lui avez-vous jamais parlé, mais il y a certainement un détail qui fait que telle personne vous plaît, ou vous intéresse. Servez-vous-en pour la complimenter: sa chevelure, son choix de cravate, sa robe, son apparence générale, son sourire, ses yeux brillants, sa parfaite dentition, etc. Vous devez exploiter un détail qui soit vraiment personnalisé afin d'éviter une approche stéréotypée. Utilisez votre imagination; recherchez le détail qui tranche. Choisissez une caractéristique qui dépasse la simple apparence physique d'une personne pour qu'elle se sente appréciée au-delà de sa physionomie et qu'elle n'y voit pas de connotation sexuelle. Vantez sa créativité, son intelligence, son succès.

Vous pouvez complimenter les gens n'importe où: au vestiaire, dans une file d'attente, ou encore tout de suite après avoir dit «Bonjour». Vous provoquerez un sourire chez votre interlocuteur et lui ferez plaisir. Il faut savoir complimenter de la bonne façon. Voici un exemple de ce qu'il ne faut pas dire: «Tu as une belle cravate.» Ce compliment s'adresse à la cravate.

L'expression suivante – d'ailleurs plus élaborée – a beaucoup plus d'effet: «Ta cravate te va très bien; les teintes de rouge et de violet rehaussent ton bronzage.» Ainsi, le compliment ne s'adresse pas à la cravate, mais bien à la personne qui la porte. À la fin du repas, au lieu d'affirmer à la personne qui vous reçoit: «C'était très bon», dites plutôt: «Tu es vraiment une excellente cuisinière. Tu as réussi tes carottes au miel à la perfection.» C'est ce qui s'appelle un compliment «personnalisé».

Attention de ne pas répéter constamment les mêmes compliments comme un vieux disque usé. Surtout, ne confondez pas compliment et flatterie. Le compliment est une expression sincère. La flatterie, par contre, c'est quelque chose d'exagéré et que l'on ne pense peut-être pas réellement. En fait, flatter quelqu'un, c'est un peu lui mentir et le leurrer en le louangeant faussement ou exagérément par complaisance.

N'exagérez pas trop. Par exemple, ne dites pas à un homme: «Tu danses mieux que John Travolta...» Un mari qui, en regardant le concours Miss Univers à la télé, affirme à sa femme: «Je te trouve plus belle que toutes ces filles-là», exagère sans doute un peu. Il aurait dû dire: «Aucune de ces belles filles au corps de déesse n'a à mes yeux la valeur de l'être que tu es...»

Un compliment peut aussi être un éloge, une félicitation. C'est bon pour l'ego de l'autre. C'est une excellente façon de le séduire et de lui faire plaisir.

Dialoguer, c'est à la fois s'exprimer et donner la parole à l'autre.

Il y a deux avantages à laisser la parole à l'autre. Premièrement, vous le connaîtrez mieux et plus rapidement. Deuxièmement, plus cette personne parlera, moins vous aurez à vous dévoiler vous-même. Soyez à l'écoute de l'autre. Ne lui coupez pas la parole, faites-le parler de ce dont il a envie. Par exemple, si votre interlocuteur vous raconte qu'il est allé à Québec la semaine dernière, plutôt que de l'interrompre en disant: «Ah! oui! Québec! Il y a un restaurant là-bas que j'ai essayé sur la Grande-Allée, blablabla...», demandez-lui: «Alors, as-tu essayé de nouveaux restaurants pendant ton séjour à

Québec?» Voilà la bonne façon de s'adresser à l'autre: plutôt que de toujours ramener la conversation sur soi, il est bien de le faire parler de lui-même, de ce qu'il aime.

Lorsque vous venez tout juste de rencontrer une personne, évitez de monopoliser la conversation sans arrêt. Vous éviterez ainsi de révéler trop tôt trop de choses intimes à votre sujet. De plus, si vous ne laissez jamais à l'autre la chance de s'exprimer, vous risquez de ne rien savoir de lui à la fin de la soirée.

Lors d'une première rencontre, si quelqu'un ne vous accorde jamais la parole et qu'en plus, il ne parle que de lui-même avant de vous inviter enfin à parler de vous, vous pouvez lui répondre: «Moi? ah! moi, c'est de l'histoire ancienne. Ciao!»

Appelez-le par son nom comme si vous aimiez beaucoup son nom.

Il n'y a pas de plus douce musique à l'oreille de quelqu'un que d'entendre prononcer son nom ou son prénom. Lorsque vous lui parlez, ne ratez pas une occasion de vous adresser directement à lui. Répétez son nom plus d'une fois, glissez-le souvent dans la conversation comme si vous aimiez beaucoup les sonorités qui le composent. «Lise, comme je suis content de te revoir. Tu m'as beaucoup manqué, tu sais. Pourquoi n'irions-nous pas au cinéma demain, Lise? C'est moi qui t'invite!» Cette façon de s'adresser à la personne rend une conversation beaucoup plus personnalisée.

Soyez compréhensif et ouvert vis-à-vis de l'autre; sympathisez avec lui.

Lorsque l'autre vous raconte des malheurs qu'il a subis, plutôt que de réagir ou de répondre sur un ton de blâme ou de critique, dites simplement quelque chose de bienveillant comme: «Tu as dû avoir de la peine, tu as dû trouver cela difficile.»

Par exemple, si quelqu'un s'est fait une entorse en courant un marathon, une critique à ne pas faire serait: «Tu n'aurais pas dû courir le marathon, voyons! Tu n'étais pas prêt pour ça! Tu n'es pas un athlète! Oublie ce genre de sport.» Une remarque aussi décourageante est carrément un blâme. Vous lui dites que s'il s'est fait une entorse, c'est de sa faute. Déclarez-lui plutôt: «Tu as dû trouver ça difficile et douloureux. De plus, tu as dû être très déçu de ne pas pouvoir terminer le marathon...»

Il s'agit de sympathiser. Si votre interlocuteur vous raconte que sa petite amie l'a quitté parce qu'il s'est retrouvé sans emploi et sans revenus, une mauvaise façon de réagir serait de lui dire: «Tu aurais dû chercher plus fort pour trouver un travail plus rapidement.» Là encore, on blâme, on critique, on condamne l'autre – ou presque – avec un commentaire négatif alors qu'il serait plus juste de le réconforter. Vous devriez plutôt lui dire: «Tu as dû avoir de la peine qu'elle parte et tu as dû te sentir bien seul après son départ si tu l'aimais à ce point!» Exprimez votre appui, offrez à la personne éprouvée un mot sympathique ou drôle... ce sera beaucoup plus apprécié!

Au début d'une relation, évitez de poser des questions trop personnelles, surtout lors de la première rencontre.

Laissez à l'autre le temps de parler pour qu'il se révèle à vous à son rythme. Lors de la première rencontre, évitez de lui poser des tas de questions sur son ex-conjoint, ou encore sur la façon dont il s'arrange financièrement avec la pension alimentaire, etc. Ces questions sont beaucoup trop personnelles pour un premier rendez-vous. Évitez également de demander à quelqu'un quel salaire il gagne ou combien il a payé pour ceci ou pour cela. En posant des questions trop indiscrètes, vous risquez de choquer votre interlocuteur. C'est inconvenant et maladroit. Poser de telles questions, c'est faire preuve d'un manque de jugement. Il s'agit d'une curiosité mal placée, qui risque de mettre l'autre mal à l'aise, surtout si vous insistez.

La discrétion est de mise lors du premier rendez-vous. Évitez les bavardages, les racontars, les explications à n'en plus finir. Le but d'une telle rencontre est simplement d'échanger quelques brefs propos sur les valeurs, les goûts, les besoins de chacun, de vous permettre de faire connaissance. Évitez surtout les indiscrétions ou les révélations à l'emporte-pièce. On vous a confié un secret et vous le révélez spontanément à cette personne que vous rencontrez pour la première fois? Vous risquez ainsi de perdre sa confiance, de sorte qu'il pourrait soudainement se taire, de peur que vous alliez répéter la moindre de ses paroles. Favorisez donc la retenue et le discernement dans vos propos. Rappelez-vous cette sage pensée: «La parole est d'argent, mais le silence est d'or.»

Ne soyez pas prétentieux. Ne vous vantez pas.

Demeurez humble, modeste, simple, franc, sincère et ouvert. Soyez spontané, authentique et abordable.

Évitez d'être trop sur la défensive.

Lorsqu'on vous pose des questions très personnelles, essayez d'y répondre le plus brièvement possible, sans toutefois vous montrer trop méfiant, trop sur la défensive. Ne considérez pas les questions de l'autre nécessairement comme une attaque. Votre interlocuteur n'est probablement pas méchant, mais sans doute manque-t-il un peu de tact, de classe...

Si le silence s'installe un moment, aidez votre interlocuteur en relançant la conversation et en y participant.

S'il a arrêté de parler, s'il semble ne plus savoir quoi dire, c'est peut-être qu'il est tout simplement moins volubile que vous. Dans ce cas, aidez-le et essayez d'autres sujets de conversation: les grands titres de l'actualité vous seront alors très utiles. Il peut s'agir aussi d'événements passés, de films, de pièces de théâtre à l'affiche, d'un compliment sur sa tenue vestimentaire, d'une question sur son travail.

Jouez au psychologue. Qu'est-ce qui l'intéresse? À quoi emploie-t-il ses temps libres? Va-t-il au cinéma? Pratique-t-il un sport? Quels livres lit-il? A-t-il des passe-temps préférés? Est-il un sportif de salon? La réponse à cette dernière question vous dira vite si vous passerez vos samedis soirs avec un sac de croustilles devant la partie de hockey et les dimanches après-midi avec un bol de maïs soufflé devant le football américain, sans compter le baseball les mardis ou les jeudis...

C'est grâce à de telles questions que vous serez à même de juger si vous partagez des intérêts avec l'autre.

Mais une fois de plus, attention! Pour que la conversation se prolonge, ne posez pas des questions qui n'exigent qu'un «oui» ou un «non» comme réponse. Posez plutôt vos questions de manière que l'autre puisse donner son avis, son opinion sur quelque chose. Par exemple, si vous lui demandez: «Aimes-tu les impressionnistes?», votre interlocuteur répondra probablement par un «oui» ou par un «non». Demandez-lui plutôt: «Qu'est-ce que tu as pensé de l'exposition des impressionnistes au Musée des Beaux-Arts?» La personne devra donc s'exprimer avec des phrases complètes dont vous pourrez vous inspirer pour poursuivre la conversation à votre tour.

Racontez que vous avez lu le livre *1001 stratégies amoureuses* et relatez quelques-uns des trucs amusants que vous avez retenus.

Que ce soit en ce qui concerne l'art de courtiser, les techniques pour flirter, pour rencontrer des gens, ou encore au sujet des suggestions romantiques, on sait que cet ouvrage spécialisé propose à ses lecteurs et lectrices une foule de trucs amusants qui produisent toujours leur effet. Il est donc toujours bon d'emporter avec soi un tel livre et d'étudier le contenu de cette bible avec son partenaire, ou de s'amuser entre amis célibataires à vérifier et à évaluer certaines «astuces», ainsi qu'à mémoriser celles qui pourraient le mieux vous servir lors d'un rendez-vous galant!

Apprenez à raconter des blagues, des histoires drôles, des devinettes. Mais faites attention de ne jamais sombrer dans la vulgarité.

Montez-vous une banque de propos humoristiques. Lorsque vous en entendez qui vous plaisent ou qui vous font rire, mémorisez-les ou écrivez-les. Pratiquez-vous à les raconter. Bannissez toutes les blagues sexistes et racistes. Pour enrichir votre banque, consultez également le rayon de livres humoristiques chez votre libraire et bâtissez-vous un répertoire. Une histoire comique remplit toujours bien un vide dans une conversation et contribue efficacement à agrémenter une soirée. De surcroît, on vous trouvera amusant!

Constituez-vous un répertoire d'histoires fascinantes, d'anecdotes amusantes et de récits inédits.

Racontez des histoires extraordinaires qui vous sont arrivées, ou encore qui sont arrivées à quelqu'un d'autre. Rendez ces événements fascinants à entendre. Pour ce faire, écoutez les histoires des autres ou encore puisez dans la banque d'anecdotes publiées chaque mois dans la revue *Sélection du Reader's Digest*. Demandez à votre interlocuteur de vous raconter l'aventure la plus drôle qui lui soit arrivée dans sa vie, ce qui lui a fait le plus peur ou encore l'événement romantique le plus extraordinaire qu'il ait jamais vécu. À force d'écouter les gens, vous vous bâtirez un répertoire d'histoires que vous pourrez à votre tour raconter à d'autres.

Mémorisez des pensées et des citations de gens célèbres.

Les libraires disposent de livres de pensées, de réflexions de gens célèbres, tels que *Pensées de musiciens,* de Michel Savignac (Les Éditions Louise Courteau), *La musique des mots,* de Gisèle Légaré (Les Éditions Louise Courteau). Achetez ces livres et lisez-les. Inspirez-vous de ces ouvrages en retenant les réflexions qui vous impressionnent le plus. Vous pouvez également retenir certains passages d'une pièce de théâtre de Victor Hugo, de Molière, de Shakespeare, ou encore, plus près de nous, de Arthur Miller ou de Michel Tremblay. Une pensée ou une citation se glisse toujours bien dans une conversation et, en prime, vous donnerez l'image d'une personne cultivée.

Demandez-lui ce qu'il ferait s'il gagnait un million de dollars.

Sa réponse spontanée vous en révélera énormément sur son compte: vous constaterez immédiatement s'il s'agit d'une personne égoïste ou généreuse, étourdie ou réfléchie, réservée ou flamboyante. Préparez-vous à répondre à la même question à votre tour, au cas où il vous la poserait.

Mesdames, intéressez-vous aux actualités sportives afin de pouvoir soutenir une conversation avec un passionné des sports.

Par exemple, apprenez quelques noms de joueurs de hockey, de boxeurs, de lutteurs, de coureurs automobiles, de champions de tennis, de golfeurs. Voilà de précieux petits renseignements qui se glissent bien dans une conversation avec un amateur de sport. Pour vous documenter, vous pouvez consulter les pages sportives des journaux; si les longs matchs à la télévision vous ennuient, écoutez simplement les nouvelles du sport.

Proposez de lui lire son horoscope.

La plupart des journaux publient une chronique astrologique. Alors, vous l'apercevez, il a l'air charmant et vous avez par hasard votre journal sous le bras. Demandez-lui quel est son signe astrologique et lisez-lui son horoscope. Si vous le connaissez déjà, vous pouvez également lui téléphoner pour lui lire son horoscope avec une pointe d'humour ou même le lui envoyer par télécopieur. Rappelez-vous que les gens aiment toujours qu'on leur parle d'eux-mêmes. Ils sont souvent curieux de savoir ce qui pourrait leur arriver et, même s'ils ne sont pas des adeptes de l'astrologie, l'horoscope peut les amuser. C'est un sujet dont tout le monde aime parler.

Aussi, mémorisez les principales caractéristiques attribuées à chaque signe. Lorsque vous rencontrerez quelqu'un, vous pourrez donc blaguer sur les défauts et sur les qualités qu'il est censé avoir, ce qui démarre toujours la conversation de façon amusante.

Soyez créatif et inventif. Faites preuve d'imagination et d'humour.

Adaptez-vous à la situation. Vous voyez quelqu'un qui vous plaît dans telle ou telle circonstance, composez alors avec l'endroit, l'événement et, bien sûr, la personne. Imaginez un scénario pour flirter avec celui ou celle qui vous plaît. Concevez, élaborez, imaginez une façon originale d'aborder la personne et exécutez-vous avec le plus de spontanéité possible. Faites tout ce qu'il faut pour établir un contact avec cette personne. Développez votre imagination. Imaginez le scénario, l'effet que vous désirez provoquer et la façon dont vous voulez que tout se déroule. Soyez fantaisiste. Cette personne vous plaît; alors, comment allez-vous l'aborder? En renversant sous ses yeux le contenu de votre sac à main?

Aidez l'autre sans dépasser les bornes. Ou encore, faites-lui comprendre que vous avez besoin d'aide.

Si vous voyez qu'une personne qui vous plaît a besoin d'assistance, ne vous gênez pas: rendez-lui service. Si elle est tombée, allez à son secours. Si elle s'apprête à monter dans son véhicule, ouvrez-lui la portière. Si elle porte trop de colis, proposez-lui d'en prendre quelques-uns. Vous, mesdames, si vous allez à la buanderie ou à la salle de lavage de votre édifice et voyez qu'un homme a de la difficulté à séparer ses vêtements pour la lessive, proposez-lui de le dépanner.

Ou encore, demandez la collaboration de quelqu'un qui vous plaît. Vous pouvez aussi faire semblant que vous avez trop de colis à transporter, que vous allez en échapper, ou que vous ne pouvez pas ouvrir la portière de votre automobile avec tous ces paquets. Regardez-le d'un air implorant, lui faisant sentir que vous avez besoin d'un coup de main. Si vous voyez un homme qui vous plaît sur les pistes de ski, faites exprès de tomber près de lui afin qu'il vienne vous prêter main-forte. Deux possibilités à retenir donc: offrir de l'aide, ou encore en réclamer.

Si vous devez mettre fin à la conversation plus tôt que prévu, expliquez-vous afin de ne pas le laisser sous l'impression qu'il n'était pas intéressant.

Vous conversez depuis peu de temps avec une personne qui vous plaît mais, malheureusement, vous devez déjà la quitter

parce qu'on vous attend quelque part. Donnez-lui une explication claire et vraisemblable afin d'éviter qu'elle ait l'impression
que vous la fuyez ou la trouvez ennuyante et faites-lui la proposition suivante: «Cette conversation m'intéresse beaucoup et je
te suggère que nous la poursuivions, disons en prenant un
apéro ensemble mardi prochain, après notre travail...» Voilà
une occasion de donner suite à la relation et ce, même si la
conversation en question se déroule au téléphone.

Si, d'autre part, la personne vous téléphone et que vous
vous apprêtiez à sortir, dites-lui simplement: «Je partais à l'instant, mais je reviendrai dans deux heures, puis-je te rappeler à
ce moment-là? ou demain?»

Si on vous invite à sortir et que vous n'êtes pas libre, faites une autre proposition.

Elle vous téléphone et vous invite au cinéma. Si vous avez
des cours ce soir-là, dites-lui par exemple: «Je suis occupé toute
la soirée, je dois assister à mes cours de marketing à l'université. Par contre, ça me plairait bien d'aller au cinéma avec toi.
Peut-on y aller ensemble demain soir?» Elle comprendra non
seulement que vous êtes vraiment occupé, mais aussi que vous
êtes intéressé à elle.

Ne donnez pas l'impression que vous n'avez pas une minute de libre pour sortir avec un partenaire potentiel.

Bien qu'il importe de projeter l'image d'une personne qui
mène une vie satisfaisante et bien remplie, il ne faut quand
même pas exagérer et donner l'impression qu'on n'a jamais une
minute à soi. Expliquez-lui que vous gardez toujours dans votre
agenda des espaces libres pour laisser place à la spontanéité et à
des activités planifiées à la dernière minute. Mademoiselle, faites
comprendre à tout nouveau partenaire que vous êtes prête à
recevoir ses invitations et que vous trouverez du temps pour sortir avec lui. En effet, si vous donnez l'impression que vous êtes
trop occupée, peut-être une nouvelle connaissance hésitera-t-elle
à vous inviter de peur que vous ne refusiez, faute de temps.

Apprenez à dire non de façon à ne pas blesser l'autre.

Comment dire non à une personne qui vous fait la cour et qui vous propose une sortie qui ne vous intéresse pas? Choisissez bien vos mots afin de ne pas blesser l'autre, quitte à lui raconter un petit mensonge blanc de façon qu'il ne se sente pas rejeté. Racontez, par exemple: «Je vois déjà quelqu'un...» ou «J'ai déjà quelqu'un dans ma vie...» ou encore «Mon cœur est présentement occupé...». Vous pouvez également dire: «Je ne sors pas présentement parce que je travaille sur ma thèse.» Ou bien: «Je ne sors pas parce que je commence un nouvel emploi et je m'y consacre entièrement.» Attention, cependant, à ce que la raison que vous donniez soit vraisemblable. Dites non de la même façon que vous aimeriez que l'on vous dise non à vous.

Donnez-lui votre numéro de téléphone et demandez-lui le sien.

Il arrive à l'occasion que vous le rencontriez. Il vous intéresse et vous aimeriez qu'il vous passe un coup de fil. Alors, proposez-lui votre numéro de téléphone: «Voici mon numéro au travail; tu peux m'y joindre tous les jours entre 9 h et 17 h. Je te donne également celui où tu peux me joindre le soir à la maison. Je suis des cours les mardis soirs mais, le reste du temps, je suis chez moi. Puis-je avoir ton numéro?» ou encore: «Accepterais-tu de me donner ton numéro au cas où j'aurais besoin de te rejoindre?» Cependant, lorsqu'on se rencontre brièvement pour une première fois, c'est quelquefois embêtant de demander tout de suite le numéro de téléphone de l'autre. Voici une façon de formuler une telle demande, particulièrement dans le cas d'un homme à une femme: «Michèle, je sais que mon approche peut paraître précipitée, on se connaît depuis à peine cinq minutes. Mais je te trouve fascinante, et je crains de ne jamais avoir l'occasion de te revoir si je ne te le dis pas maintenant. Voici ma carte, tu peux m'appeler à mon travail. À l'endos, j'ai inscrit mon numéro de téléphone à la maison. Tu peux m'y rejoindre le soir et les fins de semaine...» Monsieur, il ne vous reste plus qu'à espérer qu'elle vous téléphone...

Après tout, mesdemoiselles, si un homme charmant vous approchait avec un tel savoir-faire, ne l'appelleriez-vous pas, si vous étiez libre?

Proposez une activité que vous pourriez faire ensemble.

Soyez à l'écoute de l'autre afin de mettre toutes les chances de votre côté lorsque viendra le temps de proposer une activité. Soyez attentif à ce qui l'intéresse, à ses loisirs, aux endroits qu'il aime fréquenter. Si, par hasard, il vous parle des spectacles à l'affiche ou vous signale qu'il n'a pas vu tel ou tel film, eh bien! voilà une occasion de l'inviter. Osez!

Si vous téléphonez à quelqu'un pour lui proposer une activité et qu'il n'est pas prêt à accepter tout de suite, ne restez pas là à attendre sa réponse. Vaquez à vos occupations, faites des plans, amusez-vous et vivez bien votre célibat.

Si la personne refuse votre première invitation, peut-être est-ce tout simplement parce que l'activité suggérée ne lui plaît pas. Proposez-lui une sortie différente et de plus courte durée lorsque vous tenterez de l'inviter une deuxième fois.

Faites-lui sentir que vous l'aviez déjà remarqué.

Si tel est le cas, dites-lui que cela fait longtemps que vous l'observiez, que vous le voyiez régulièrement et que vous n'aviez jamais osé lui parler auparavant. Relatez même certaines occasions où vous l'aviez aperçu. Par exemple: «Je t'ai vu la semaine dernière. Tu quittais le bureau mardi soir avec des livres sous le bras. Est-ce que tu apportes régulièrement du travail à la maison...?» ou: «Je t'ai vu hier sortir de l'ascenseur et tu avais l'air très pressé, très absorbé. Est-ce que tout va bien pour toi?» ou bien: «Chaque matin, nous prenons le métro à la même heure. Nous ne nous sommes jamais parlé, mais je te remarque toujours à l'odeur du parfum que tu portes, un parfum unique qui te convient très bien, d'ailleurs...» ou encore: «Je t'ai vue samedi soir dernier à la soirée pour célibataires organisée à l'Hôtel de la Montagne et j'aurais bien aimé te demander à danser. Lorsque tu n'étais pas sur la piste de danse, je te cherchais partout dans la salle pour savoir à quelle table tu étais assise jusqu'au moment où, tout à coup, je t'ai vue partir. Il était quand même assez tôt...» C'est toujours flatteur pour l'autre de constater que vous l'avez distingué parmi la foule, qu'il ne vous laisse pas indifférent et qu'il provoque chez vous un certain effet.

S'il vous mentionne qu'il sera à tel endroit à telle heure, dites-lui qu'il est possible que vous passiez par là.

Observez alors si sa réaction démontre un certain intérêt. Ou encore, s'il vous dit qu'il se rendra le lendemain midi à une conférence sur la motivation, peut-être vous le dit-il tout simplement sans arrière-pensée, mais peut-être sonde-t-il aussi le terrain pour voir si ce sujet vous intéresse... S'il prend la peine de vous souligner qu'il se rendra à tel bistro vers 19 h, soyez perspicace. Peut-être est-ce sa façon de vous manifester qu'il souhaiterait vous y retrouver, sans toutefois avoir le courage d'oser vous y inviter directement. Pourquoi ne pas lui dire que vous songiez justement à vous y rendre? De grâce, si votre interlocuteur vous plaît, n'hésitez pas: jouez son jeu.

Faites semblant de reconnaître quelqu'un. Ça marche à tout coup.

Dites par exemple: «Bonjour, Paul. Comme il y a longtemps que je t'ai vu!» Surpris, l'autre rétorque: «Je ne suis pas Paul; je m'appelle Pierre!» À vous de vous étonner innocemment: «Pierre! Heureuse de faire votre connaissance! Mon nom est Lise...» Et voilà, le tour est joué. Cette technique fonctionne à tout coup. C'est un truc «astucieux» pour entrer spontanément en contact avec les gens que vous ne connaissez pas. Vous vous direz peut-être que ce n'est pas tout à fait honnête, mais ce n'est quand même pas bien grave.

Les remords de conscience vous assaillent? Vous pourrez toujours avouer la vérité à la personne un peu plus tard, si la conversation se poursuit. Si vous vous sentez mal à l'aise dans ce genre de petit mensonge, confiez-lui au moment opportun: «Je ne t'avais pas vraiment pris pour Paul, mais tu m'intriguais vivement et c'est la seule façon que j'ai pu imaginer pour venir te parler.»

Pour flirter, utilisez un accessoire de fête, un jeu ou n'importe quel prétexte à une conversation... ou flirtez en silence!

Les célibataires ont besoin de trouver des façons de ressortir du reste de la foule, de se faire remarquer, en particulier par les célibataires du sexe opposé. Presque n'importe quel objet peut vous aider à flirter. Un accessoire de fête ou un jeu peut vous permettre de briser la glace. Vous pouvez trimballer, dans votre sac à main ou votre poche, un bout de papier portant le numéro O77V. Allez trouver quelqu'un et demandez-lui s'il sait ce que veut dire ce numéro. Retournez-le à l'envers, et voilà... vous venez de dire «ALLO» à un inconnu!

Flirtez avec du parfum!

Messieurs, familiarisez-vous avec les parfums et les eaux de toilette. Allez au comptoir de parfums d'un grand magasin et demandez des échantillons des parfums les plus populaires. Une fois revenu chez vous, livrez-vous à une profonde étude des odeurs. Humez chacune des marques et habituez-vous à son bouquet. Inspirez chaque odeur persistante et emmagasinez-la soigneusement dans votre mémoire. Étudiez seulement deux ou trois parfums par séance, afin de ne pas confondre les odeurs. Il s'agit pour vous de devenir un connaisseur en parfums!

Lorsque vous aurez acquis cette expertise, vous pourrez vous concentrer sur les dames qui porteront les parfums que vous êtes arrivé à si bien connaître. C'est une façon originale de flirter: «Oh, vous portez l'un de mes parfums préférés... C'est *Épaules blanches*... et je suis sûr que les vôtres sont aussi adorables que votre parfum!» Quelle impression vous ferez! Il y a quelque chose de raffiné et de mystérieusement séduisant chez un homme qui connaît les parfums!

Flirtez de façon «sportive».

Cette stratégie convient particulièrement aux femmes. Puisque le sport semble faire sortir les hommes de leur coquille, ne cachez pas votre bicyclette ou votre casque protecteur: exposez-les plutôt à la vue et à l'admiration de tous les hommes.

Caresser votre équipement sportif, cela pourrait séduire. Marthe a trouvé son Roméo à cause de la bouteille d'eau qui s'ajuste à son vélo. Elle s'arrêta un jour à la terrasse d'un café pour remplir sa bouteille de jus. Elle décida de rester un moment pour prendre une boisson avant de poursuivre sa balade de 30 kilomètres. Assise au soleil, Marthe se mit à caresser inconsciemment sa bouteille tout en sirotant son jus d'orange. Lorsqu'elle émergea de sa rêverie, elle remarqua que l'homme à la table voisine était hypnotisé par son geste. Marthe continua de caresser la bouteille avec ses doigts, tout en envoyant quelques regards séducteurs à l'inconnu. Son message fut bien reçu. Jacques céda à son charme, se rendit jusqu'à sa table et entama une conversation... à propos de vélo! Il se trouvait être, lui aussi, un adepte du vélo! Marthe et Jacques sont ensemble depuis huit mois, et tous les dimanches après-midi, ils font une balade de 20 kilomètres en vélo... Mais maintenant, c'est Jacques qui transporte l'eau!

Flirtez au téléphone.

Par exemple: Marc téléphone quelque part et demande à parler à Jean. Il se trompe en composant le numéro et c'est une femme qui répond: «Vous avez fait un mauvais numéro.» D'esprit alerte, Marc poursuit en disant: «Je m'appelle Marc et j'aimerais tout de même m'entretenir avec vous quelques minutes de plus, car vous avez vraiment une bien plus jolie voix que mon ami Jean...»

Flirtez également à votre travail, notamment en faisant des compliments à votre interlocuteur au téléphone; vous ne le connaissez pas et cela ne vous engage donc à rien. Gardez quand même toujours votre classe et votre dignité. Sachez demeurer distingué et discret dans ce jeu amusant, qui peut rompre la monotonie d'une journée de travail.

Vous appelez quelqu'un et son répondeur est branché. Laissez-lui une belle pensée romantique qu'il écoutera avec un sourire lorsqu'il arrivera. Vous pouvez même ne pas révéler votre nom, ce qui l'intriguera encore davantage.

Vous pouvez aussi flirter au téléphone avec des gens que vous connaissez. Sylvie, par exemple, adore le flirt. Elle fait en sorte d'appeler au moins trois copains chaque semaine. Cette semaine, elle a téléphoné à David pour lui demander comment s'était déroulée son entrevue pour un nouvel emploi. Elle a aussi appelé Laurent afin de savoir s'il avait reçu sa nouvelle voiture et enfin Serge pour prendre des nouvelles de ses vacances. Rappelez-vous que si vous faites beaucoup d'appels, vous en recevrez autant en retour.

Flirtez en automobile.

C'est agréable de le faire, surtout par une belle journée d'été, à un feu rouge par exemple, lorsque vous voyez quelqu'un du sexe opposé arrêté pour quelques secondes à côté de vous. Offrez-lui un sourire, un clin d'œil ou lancez un «Bonjour» sympathique. Pourquoi ne pas gesticuler afin d'attirer son attention?

Vous pouvez également flirter en automobile avec votre téléphone cellulaire si vous en avez un. Monsieur, vous la voyez à bord de son véhicule en train de parler au téléphone. Vous lui montrez à travers votre vitre que vous aussi êtes équipé d'un cellulaire. Prévoyant, vous avez pris soin de préparer à l'avance un carton — que vous gardez toujours à portée de la main dans votre automobile — affichant votre numéro de téléphone cellulaire. À la lumière rouge, vous profitez de l'arrêt pour placer ce carton sur votre vitre de côté pendant 30 secondes environ, afin de lui permettre de bien le voir et de lui laisser le temps de noter votre numéro. Vous n'avez plus qu'à attendre... Il sera toujours temps pour vous de voir plus tard s'il s'agit d'une femme libre. Si elle n'est pas disponible, vous vous serez tout de même bien amusé.

Voici une histoire d'autant plus belle qu'elle est vraie. Dans leurs véhicules respectifs, Diane ct Pierre ont été coincés dans un embouteillage sur un pont. Diane a cédé le passage à Pierre pour qu'il puisse avancer. Pierre a remarqué Diane et l'a trouvée si belle qu'il s'est empressé de descendre de son automobile pour venir à sa fenêtre la saluer. Après trois mois de fréquentations, ils ont emménagé ensemble; six mois plus tard, ils se sont mariés. Ils ont eu deux enfants.

Achetez une paire de billets de saison pour le théâtre ou pour des événements sportifs.

Ces abonnements sont généralement en vente longtemps d'avance. Le théâtre, le football, le baseball ou le hockey vous intéressent? Alors procurez-vous une paire de billets pour la saison et faites-vous un point d'honneur de ne jamais inviter la même personne à vous accompagner. Invitez quelqu'un de différent à chaque représentation. Respectez cet engagement avec vous-même et vous aurez ainsi beaucoup de plaisir. Il n'est pas nécessaire de planifier dès le début de l'année avec qui vous assisterez à chaque représentation. Commencez à y penser seulement un mois avant la représentation. Rien de mieux qu'un vastc choix pour vous permettre de déterminer avec quelle personne vous vous sentez le mieux.

Quelqu'un vous plaît et vous ne savez si c'est réciproque.

Vous n'avez donc pas encore le courage de lui proposer une sortie en bonne et due forme. Mademoiselle, demandez-lui simplement s'il accepterait de venir avec vous au magasin pour vous conseiller sur le choix d'un ordinateur ou d'un système de son, par exemple. Quant à vous, monsieur, réclamez sa présence et ses bons conseils pour l'achat d'une nouvelle batterie de cuisine.

Observez le comportement de l'autre à votre égard pendant cette séance de magasinage et faites ainsi plus ample connaissance avec lui. Si tout se déroule bien, il sera toujours temps de l'inviter à prendre un café ou un dessert, ou encore à vous accompagner au cinéma. Mais soyez bien à l'écoute et observez si l'autre vous manifeste de l'intérêt avant d'aller plus loin. Faites bien la différence entre un comportement sympathique et une attitude nettement intéressée.

Flirtez au supermarché. Abordez-le et demandez-lui sa recette de sauce à spaghetti, comment bien choisir les ananas ou les avocats, comment il fait cuire son rôti de veau.

Vous êtes au supermarché et vous voyez quelqu'un qui vous plaît. Une bonne façon de l'aborder est de vous rendre au comptoir où il se trouve et d'engager la conversation sur son choix d'aliments. Si vous êtes gêné d'aborder ainsi quelqu'un que vous ne connaissez pas, rappelez-vous qu'à force de le faire vous deviendrez meilleur. Exercez-vous d'abord avec les commis du magasin, vous serez ensuite plus à l'aise avec la clientèle. Soyez amical et courtois. Demeurez distingué. Complimentez les gens, notamment les employés qui travaillent de longues heures et ont besoin de mots gentils.

Vous remarquez quelqu'un qui vous intéresse au comptoir des desserts congelés? Approchez-vous. Demandez-lui s'il a déjà essayé la marque de tartes aux pommes qu'il vient de choisir. Dites-lui que vous achetez souvent de la tarte aux pommes vous aussi, mais que vous optez habituellement pour une marque concurrente, qui vous plaît plus ou moins et dont vous commencez à vous fatiguer. Bref, vous songez à essayer la marque qu'il choisit présentement. C'est là une autre façon d'entamer une conversation amicale.

Si votre démarche est infructueuse, déposez quand même la tarte aux pommes de son choix dans votre panier de provisions et quittez dignement la personne abordée. Par contre, si votre tactique fonctionne bien, vous pourrez l'inviter à venir déguster chez vous une pointe de cette fameuse tarte aux pommes, avec de la crème glacée à la vanille et un morceau de cheddar...

Flirtez dans la rue. Souriez et dites «Bonjour» à 50 personnes dans une journée.

Vous pouvez même faire un concours avec vos amis: le gagnant sera celui ou celle qui réussira à dire le plus souvent

«Bonjour» dans une même journée. Certaines personnes que vous ne connaissez pas, à qui vous sourirez et direz «Bonjour», seront peut-être un peu surprises par votre comportement mais vous remarquerez que la plupart d'entre elles vous répondront spontanément par un sourire et un «Bonjour».

Dire «Bonjour» et sourire fait d'ailleurs partie des coutumes en Angleterre. Les Anglais se saluent discrètement, même s'ils ne se connaissent pas. C'est une des premières choses que les touristes remarquent lorsqu'ils arrivent dans ce pays.

Si vous vous promenez dans la rue et que vous remarquez quelqu'un qui vous plaît et que vous désirez aborder, feignez d'être un peu perdu. Demandez des renseignements. Ayez l'allure de quelqu'un qui cherche. Ayez une carte de la ville avec vous et sortez-la. Demandez-lui comment vous rendre à un endroit qui se trouve précisément dans la direction vers laquelle il marchait. De cette façon, vous aurez probablement la chance de faire un bout de chemin avec lui. Il va sans doute vous répondre: «Je vais justement par là! Voulez-vous m'accompagner?» Si la personne ne peut vous fournir les renseignements dont vous prétendez avoir besoin, soyez assez audacieux pour lui demander: «L'endroit que je cherche pourrait-il se situer dans la direction où vous allez? Puis-je faire un bout de chemin avec vous?» Si la personne qui vous plaît semble se diriger dans la direction opposée à celle vers laquelle vous marchez, soyez assez astucieux pour lui demander des renseignements qui vous conduiront dans la même direction qu'elle, de façon que vous puissiez marcher ensemble par la suite.

La personne sera peut-être étonnée que vous l'abordiez ainsi. Si vous développez une relation, il sera toujours temps plus tard de lui dire que vous n'étiez pas vraiment perdu, que c'est le seul petit truc qui vous est venu spontanément à l'esprit pour faire sa connaissance *subito presto,* considérant le fait que, si vous n'agissiez pas sur-le-champ, vous ne la reverriez peut-être jamais.

Flirtez dans un stationnement.

En garant son automobile dans le stationnement de son édifice à bureaux, Denis a remarqué une fille qui lui plaisait. Mais comment l'aborder? Comme il disposait par hasard dans son automobile d'une paire de gants appartenant à sa sœur, il en a pris un, puis s'est approché de la demoiselle en question en demandant: «Ce gant est-il à vous? Je l'ai trouvé par terre...» Comme elle répondait «non», il a ajouté: «Non? Pouvez-vous vérifier s'il appartient à quelqu'un de votre bureau? Auriez-vous ensuite l'obligeance de me le remettre si personne ne vous le réclame?» Elle l'a revu un peu plus tard et lui a évidemment remis le gant. C'est alors qu'il lui a proposé un premier rendez-vous.

Dans le stationnement de votre édifice, vous avez remarqué à l'occasion quelqu'un qui vous attire? Laissez un mot signé sous son essuie-glace. Voyez ce qui en résultera. Madame, vous pouvez entreprendre une conversation avec votre soupirant en vous montrant intéressée à son automobile. Demandez-lui: «Aimes-tu la vitesse?» Vous pouvez même attacher une fleur au mot que vous laissez sur son pare-brise, ou encore y accrocher un ballon.

Flirtez dans la ville.

Vous décidez d'aller vous balader un beau dimanche après-midi avec l'intention bien précise de flirter. Apportez donc avec vous votre appareil photo (vous n'en avez pas? achetez-en un jetable à prix modique) et promenez-vous à travers la ville en demandant à chaque personne qui vous plaît de prendre votre photo. Jouez au touriste. C'est une façon amusante de créer un contact. Si la personne est aimable et souriante, demandez-lui la permission de prendre aussi sa photo afin de prolonger le contact établi. Dites-lui que vous la trouvez jolie et que vous aimeriez avoir un souvenir... Voyez comment elle répond...

Un photographe bien connu racontait que cette tactique fonctionnait pour lui à tout coup. Il n'est pas nécessaire d'être soi-même un photographe chevronné pour mettre ce truc en pratique. Tout le monde peut utiliser un appareil photo.

Flirtez à l'université.

L'université, plus particulièrement la faculté de l'éducation permanente, constitue de nos jours un endroit par excellence pour faire de nouvelles connaissances. En effet, plusieurs milliers de personnes suivent des cours, le jour ou le soir. Si vous remarquez quelqu'un qui pique votre curiosité, demandez-lui à quel cours il est inscrit. S'il s'agit d'un étudiant de votre classe, voyez s'il suit d'autres cours du soir dans la semaine. Vous constatez avec plaisir que cette conversation lui plaît? Proposez-lui d'aller prendre un café après la classe. Donnez-lui rendez-vous quelque part. C'est déjà un début...

Flirtez dans une file d'attente.

Vous apercevez, debout devant vous, une personne à l'allure très agréable. Une façon adroite d'engager la conversation est de lui parler de l'événement auquel vous vous rendez tous les deux, ce qui vous procure un bon sujet de conversation sans vous obliger à parler de vous-même ou d'elle.

Dans une longue file d'attente au cinéma, renseignez-vous auprès de la personne debout seule devant vous: «Monsieur, il y a un monde fou qui vient voir ce film. Il doit être excellent. Avez-vous lu ou entendu les commentaires des critiques?» Et voilà, la conversation est amorcée. Peut-être finirez-vous par vous asseoir côte à côte dans la salle, tout en partageant un grand contenant de maïs soufflé...

Flirtez dans un café.

Vous voyez qu'il lit le journal. Demandez-lui quels sont les grands titres du jour. Vous pouvez également interrompre sa lecture en disant: «Le journal annonce-t-il de bonnes nouvelles aujourd'hui?» Il répondra probablement par la négative. Sur ce, vous ajoutez: «Ah! il devrait exister un journal qui ne publie que des bonnes nouvelles!» Ou encore, c'est vous qui êtes en train de lire. Parlez-lui de la nouvelle du jour. Voyez s'il est au courant et discutez de la question ensemble.

Flirtez dans un parc.

Vous faites des mots croisés. Demandez à quelqu'un qui attire votre attention de vous épeler un mot ou encore demandez-lui un synonyme. Soyez naturellement amical. Dites: «Je cherche un mot de quatre lettres, pouvez-vous m'aider?»

Une occupation captivante à laquelle vous pouvez vous adonner dans un parc est d'écrire votre journal intime. Là encore, risquez-vous à demander à quelqu'un d'intéressant de vous aider à trouver un mot sous prétexte que vous avez un blanc de mémoire.

Dans le métro, dans la gare ou dans un aéroport, une personne vous attire, mais vous ne disposez que de 30 secondes pour établir un contact, sinon vous risquez de la perdre de vue à tout jamais.

Faites exprès de laisser tomber de la monnaie, votre journal, votre sac à main ou encore votre parapluie, votre foulard ou enfin tout autre objet que vous tenez à la main. Faites-le le plus près possible de la personne qui vous plaît de façon que ce soit bien cette personne qui vous vienne en aide. Ce sera un réflexe spontané de sa part que de venir à votre secours. Vous pourrez alors lui sourire, lui dire «bonjour» et «merci». Continuez ensuite la conversation en vous présentant. Et c'est parti!

On peut aussi bien adopter cette stratégie instantanée dans la rue ou dans un autobus, en fait, dans n'importe quel endroit public où l'on n'a que 30 secondes pour attirer l'attention de quelqu'un que l'on croise et que l'on risque de ne plus jamais revoir.

Flirtez au restaurant.

Une personne seule du sexe opposé est assise près de vous dans un restaurant et vous la trouvez particulièrement à votre goût... Dites-lui tout naturellement que son plat semble succulent et demandez-lui de quel item du menu il s'agit. Voyez si elle est une habituée de l'endroit et si elle connaît une spécialité de la maison à vous suggérer. Continuez la conversation en vous inspirant de ses réponses et, sans insister, proposez-lui de se joindre à vous pour prendre le café plus tard à votre table, si le cœur lui en dit. Peut-être ce petit café vous mènera-t-il ensuite ailleurs pour un agréable pousse-café...

Explorez l'édifice où vous habitez afin de faire appel à certaines stratégies.

Votre édifice est doté d'un garage intérieur, quelqu'un qui y habite vous fait un certain effet, voire un effet certain, et vous connaissez son automobile. Vous désirez vraiment attirer son attention... Alors, laissez-lui un message sur son pare-brise.

Dans le hall d'entrée, près des boîtes aux lettres ou encore près des ascenseurs, accrochez un tableau d'affichage pour célibataires et placez-y des messages susceptibles d'attirer l'attention. Par exemple, à une date et une heure précises, donnez rendez-vous, à la salle de lavage ou à la piscine, à tous les célibataires de l'édifice. Organisez dans votre appartement une petite fête pour gens libres que vous annoncerez en affichant une invitation sur votre tableau. Voilà une bonne façon de connaître les célibataires de votre environnement immédiat.

Flirtez dans une soirée.

Lors d'une soirée, vous remarquez une personne qui vous fait beaucoup d'effet mais qui ne vous a pas encore été présentée. Rapprochez-vous d'elle et utilisez un prétexte pour entamer la conversation: «Puis-je vous parler cinq minutes? J'essaie d'éviter quelqu'un qui m'accapare et je veux avoir l'air très occupé de façon à m'en débarrasser...» Rassurez-la en soulignant que vous ne retiendrez son attention que pour quelques minutes. Vous éviterez ainsi de lui donner l'impression qu'elle se retrouve «coincée» pour le reste de la soirée. Après cinq minutes, excusez-vous et éloignez-vous, à moins qu'elle ne vous invite à rester...

Flirtez au travail.

Faites l'inventaire du nombre de personnes du sexe opposé qu'il vous est possible de côtoyer dans vos relations d'affaires et de travail chaque semaine. Utilisez le télécopieur. Télécopiez un valentin n'importe quel jour de l'année. Télécopiez une bande dessinée, une pensée amusante ou simplement un souhait de bonne journée.

Mademoiselle, votre bureau est situé dans une tour et vous apercevez dans l'ascenseur un homme qui vous subjugue. Commencez à parler de vos clients – rien d'indiscret, bien sûr! – à l'amie qui vous accompagne et prenez bien soin de mentionner le nom de la compagnie pour laquelle vous travaillez. Organisez-vous pour qu'il le comprenne. S'il s'intéresse à vous, votre discours ne tombera pas dans l'oreille d'un sourd et il saura où vous joindre.

Vous flirtez avec une personne avec qui vous avez des relations de travail? Demeurer efficace sur le plan professionnel doit être votre priorité. Établissez judicieusement jusqu'où vous pouvez aller et ne dépassez pas ces limites, de façon à ne pas nuire à votre emploi ou à vos affaires et à ne pas être accusé de harcelement sexuel.

Flirtez en faisant du sport.

Vous vous retrouvez dans un centre de ski. Une personne vous attire? Questionnez-la sur le magasin où elle a acheté son ensemble de ski, ou encore complimentez-la sur ses prouesses. Sur un court de tennis, demandez-lui où elle a acheté sa raquette ou encore, où elle a appris ses techniques. Au club de golf, demandez-lui si elle suit des cours et si elle fréquente régulièrement cet endroit.

Flirtez au moyen de votre ordinateur personnel.

Il existe quelques clubs pour les adeptes de l'informatique. Inscrivez-vous à l'un ou l'autre et consultez le babillard des activités et la liste des membres: il est souvent question de rencontres mensuelles ou d'activités spéciales. Autre avantage non négligeable: par modem ou avec Internet, vous pouvez communiquer avec certains membres et leur envoyer quelques messages personnalisés. Encore une fois, soyez entreprenant!

Au cours d'aérobie, demandez de l'aide à votre instructeur ou à quelqu'un du cours.

Informez-vous afin de savoir si votre position est correcte. D'abord, vous valoriserez les gens, car tout le monde aime se faire demander des conseils. De plus, vous créerez le contact initial qui vous permettra ensuite de proposer à la personne d'aller prendre un café ou une tisane avec vous après la classe. N'allez pas au gymnase tous les jours à la même heure. Optez pour un club de santé à franchises multiples qui vous offre la possibilité de fréquenter ses nombreuses adresses à votre convenance. Fréquentez plusieurs succursales de ce réseau des jours différents et à des heures variées, de façon à rencontrer le plus de monde possible.

Flirtez par courrier.

Quelqu'un vous plaît et vous connaissez son adresse au bureau ou à sa résidence. Envoyez-lui une carte amusante, ou encore une carte avec un message qu'il lui faudra lire entre les lignes. Rappelez-vous que le flirt doit être subtil; usez donc de finesse et ne soyez pas trop direct.

Amusez-vous à flirter.

Il vous téléphone pour vous inviter à sortir avec lui samedi soir. Vous lui répondez de façon flatteuse: «Je partais justement pour la fin de semaine mais tu viens de réussir à me faire changer d'idée.» Vous n'aviez aucune intention de partir, mais pour attirer l'autre, il faut se montrer ouvert. Autre exemple: il vous téléphone et vous demande comment vous allez. Vous lui répondez: «Nous allons bien.» Évidemment, il y aura à l'autre bout du fil un silence inquiet... que vous finirez par briser en disant: «Allez! Je parle de mon chien et de moi!» Inventez ainsi des jeux et prenez plaisir à faire un peu de théâtre et de mise en scène.

Ne flirtez jamais avec d'autres quand vous êtes déjà avec une personne.

Flirter sans arrêt avec d'autres personnes alors que vous êtes déjà accompagné refléterait un manque d'étiquette et de délicatesse de votre part. Ne flirtez pas non plus avec quelqu'un qui est accompagné. Vous n'apprécieriez certainement pas qu'on manque ainsi de courtoisie à votre égard.

Faites confiance à votre intuition: c'est votre cœur qui parle.

L'intuition est une aptitude instinctive dont vous disposez. Cultivez votre flair. Développez votre perspicacité. Essayez de ressentir, de percevoir ou de deviner les choses. Quelqu'un vous intéresse? Vous avez le pressentiment que vous pourriez lui plaire? Alors, allez-y! Faites le premier pas!

Profitez de toutes les chances qui se présentent à vous pour flirter.

Même si vous savez que toutes vos tentatives de flirt ne résulteront pas nécessairement en un rendez-vous galant, vous développerez par la pratique une aisance qui fera qu'un jour, au moment idéal, avec la personne rêvée, cela marchera pour vous.

Profitez de votre vie de célibataire; elle ne durera peut-être pas très longtemps!

Ainsi, vous êtes célibataire... pour l'instant! Goûtez chaque minute de cette étape de votre vie! Utilisez cette période précieuse pour élargir vos horizons intellectuels et spirituels, et pour devenir une personne accomplie, consciente de sa capacité de changer son destin.

Entre les myriades de choix qui s'offrent à vous, les activités suivantes conviendront peut-être à vos plans en vue de savourer votre période de célibat.

• Passez une semaine fabuleuse dans un établissement de cure de rajeunissement, afin d'entreprendre un régime sain et de vous débarrasser de vos tentations d'abuser des sucreries, de l'alcool ou des cigarettes.

• Prenez rendez-vous avec un consultant en couleurs, et apprenez quelles couleurs conviennent à votre garde-robe, afin d'accentuer votre teint et votre personnalité. Vous pourrez également découvrir les styles qui vous conviennent le mieux.

• Souvent, dans les grands magasins, les grands fabricants de cosmétiques offrent en promotion des analyses gratuites du teint et du visage, ou des séances de maquillage. Vous pourrez apprendre à choisir le maquillage qui convient à votre peau et à votre teint. Quelle bonne façon de vous remonter l'humeur et d'affronter le monde avec un nouveau look!

• Pour vous aider à prendre soin de vous, faites-vous donner un massage shiatsu, et apprenez quelques-unes des techniques que vous pourrez pratiquer avec votre futur amour, en particulier le shiatsu du visage!

• Développez votre confiance en vous-même en prenant un cours d'affirmation de soi, de pensée positive, de motivation ou de l'art de parler en public.

• Élargissez vos horizons en étudiant les grandes religions du monde, comme l'hindouisme, le bouddhisme, le christianisme, l'islam.

• Prenez des cours de taï chi ou de danse du ventre égyptienne. C'est merveilleux pour votre silhouette et pour diminuer votre stress!

• C'est le temps de mettre de l'ordre dans vos finances personnelles, et de mettre au point votre système de classement domestique. Assurez-vous que vous possédez les polices d'assurance adéquates. Entreprenez un plan d'épargne-retraite afin de pouvoir un jour vous payer de belles vacances. Examinez un plan financier qui vous donnera la capacité de devenir propriétaire ou de prendre part à un investissement immobilier.

• Apprenez une nouvelle technique, comme la micro-édition ou la programmation informatique. Cela pourrait vous ouvrir une toute nouvelle carrière.

• Étudiez une langue étrangère. Des cours sont généralement disponibles auprès d'associations ou de clubs ethniques, de consulats ou d'ambassades, ainsi que dans des universités. Si vous avez une connaissance rudimentaire d'une langue, vous pourriez vous inscrire à des cours particuliers ou trouver quelqu'un – du sexe opposé, peut-être – qui voudra prendre part à des échanges de conversations.

• Avez-vous le sens de l'aventure? Pourquoi ne pas essayer le deltaplane, la plongée sous-marine, l'acrobatie de cirque, tout ce qui peut vous procurer de la couleur, des frissons et de l'excitation!

• Apprenez à saisir des indices subtils à propos des gens, en étudiant le langage corporel, la chiromancie, l'astrologie ou la réflexologie chinoise. Une poignée de main peut être très révélatrice, si vous savez comment l'interpréter!

• Lisez des ouvrages sur le développement personnel, et essayez quelques-unes des techniques qui vous attirent. Cela vous permettra de développer votre confiance en vous-même, et de vous sentir bien dans votre peau.

• C'est le temps de tenir un journal intime, d'écrire des poèmes, ou de commencer un roman ou une autobiographie. Vous seriez surpris de constater ce que votre écriture peut révéler sur vos émotions profondes.

Votre période de célibat constitue le moment idéal d'arriver à vraiment vous connaître, et à connaître vos rêves, vos espoirs, vos ambitions. C'est le temps de faire les choses qui VOUS plaisent, et non seulement les choses qui sont censées projeter de vous une «image» à laquelle les autres s'attendent. En étant vous-même, vous attirerez les gens qui vous apprécieront et vous aimeront pour ce que vous êtes: une personne unique et merveilleuse!

Chapitre 3

LE CÉLIBAT
À TRAVERS LE MONDE

L'Allemagne

Le nombre de célibataires en Allemagne a doublé au cours des deux dernières décennies. Aujourd'hui, on y compte deux fois plus de femmes vivant seules que d'hommes, et le célibat a atteint des proportions telles que les agences de publicité ont dû réviser leurs stratégies et opter pour la nouvelle formule: «Être célibataire, c'est amusant».

Une annonce télévisée pour un café décaféiné montrait une femme épanouie se réveillant seule, tandis qu'une marque de savon était représentée par un cycliste solitaire. Par contre, une annonce de cigarettes mettant en vedette un couple dans une disco s'est récemment avérée un fiasco total. Les recherches indiquent qu'en Allemagne, les couples ne sont plus populaires dans les annonces publicitaires et ne font plus vendre les produits.

L'Autriche

À Vienne, où la solitude est reconnue comme étant un problème social majeur, les célibataires s'inscrivent à l'École de flirt et contacts. Les Autrichiens sont des collectionneurs avides de diplômes dans des disciplines de toutes sortes, du tennis au cours de conduite, du golf à la cuisine. Une multitude de cours – avec diplômes évidemment – sont offerts afin de permettre aux célibataires de se rencontrer: chant, poterie, peinture de carrosserie automobile, danses folkloriques, etc. Toutefois, on dit que les rencontres réussies lors de ces différents cours reposent d'abord sur le diplôme de l'École de flirt et contacts...

La Belgique

Les bars de Bruxelles ont certes leur charme et leurs particularités. Alors que partout en Europe on planifie les sorties en soirée, les Belges, eux, préfèrent prendre l'après-midi de congé et se rendre dans un endroit très populaire: la disco de l'après-midi. La Cave Royale, sur la rue de l'Enseignement, est bondée de gens dès 13 h 30. Les femmes en chemisiers de soie y sirotent un kir, tandis que des messieurs moustachus d'un âge incertain leur font les yeux doux.

Des célibataires de toutes les nationalités habitent la Belgique. Ils bénéficient d'un vaste choix de ressources pour rencontrer des partenaires potentiels. Ils peuvent, entre autres, se joindre au Friday Cocktail Group for English Speakers aussi bien qu'au Brussels Mannekin Pis Hash House Harriers, ou encore au Esikoislestadoilais Seurat Suomi, un groupe religieux finlandais.

Le Canada

Au Canada, c'est dans la province de Québec que l'on retrouve le plus grand nombre de célibataires per capita. Les gens seuls cherchant à rencontrer l'âme sœur font de plus en plus appel aux agences de rencontre et aux annonces classées des quotidiens et des hebdomadaires. D'autre part, un premier Salon des célibataires a été mis sur pied au Québec en 1990.

Il semble que le seul cours offert spécifiquement à l'intention des célibataires à la recherche de partenaires soit le Cours de stratégies amoureuses de Marie Papillon, dispensé principalement à Montréal et à travers le Québec et ce, sous forme de séminaires de fins de semaine, de cours du soir, ou encore de conférences. Ce cours est offert sur demande à des groupes de 150 personnes et plus, de toutes les catégories d'âge. Un nombre à peu près égal d'hommes et de femmes y participent. Le cours s'adresse tant à des groupes de participants francophones qu'à des groupes anglophones et son activité déborde largement les frontières canadiennes, notamment aux États-Unis, en Europe et en Asie.

Le concept des 1001 stratégies amoureuses de Marie Papillon est d'inspiration tellement unique et avant-gardiste que les médias en parlent à travers l'Amérique du Nord et même en Asie. Ce concept a d'ailleurs valu à Marie Papillon plusieurs entrevues diffusées sur les ondes de Radio-Canada International en Chine, à Hong-Kong, à Taiwan, à Singapour, en Australie et au Japon.

L'Espagne

L'Espagne, comme bien d'autre pays, a connu des régimes sévères, même sur le plan de l'amour. Dans les années 1970, les agents des villes espagnoles arrêtaient pour cause d'indécence les couples d'amoureux qui s'embrassaient dans les parcs. La légalisation du divorce en 1978 est venue changer la situation du célibat et du mariage en Espagne. Déjà, en 1985, on comptait 209 000 femmes divorcées. En 1990, on en estimait le nombre à plus de 300 000.

Grâce à la révolution post-Franco, les femmes espagnoles sont devenues aujourd'hui assez libérées pour se promener avec des condoms dans leurs sacs à main. À Madrid, des clubs de nuit tels que le Milford, les Andrews ou le Kinki connaissent un achalandage remarquable de femmes divorcées à la recherche d'un nouveau prince charmant.

L'agence de rencontre Mundo Nuevo de Madrid rapporte que l'entreprise n'a jamais connu autant de prospérité et ce, malgré la récession. Les responsables soulignent que leur clientèle est en majorité plutôt sophistiquée et, à travers le pays, on affirme que «le club des gens de seconde main» grandit à une vitesse étonnante.

Les États-Unis

Le problème de la solitude est très reconnu aux États-Unis. Pour y pallier, les grandes villes, notamment New York, Boston et Los Angeles, sont superbement bien organisées afin de répondre aux besoins des célibataires. On y publie plusieurs magazines strictement consacrés aux petites annonces. Les agences de rencontre abondent et quelques-unes ont même des franchises ou des bureaux à travers le pays. Un certain nombre comptent leurs membres par dizaines de milliers, entre autres l'agence Great Expectations.

Plusieurs centres offrent également des cours qui s'adressent très spécifiquement aux célibataires. Quelques exemples? Les cours «Comment se marier cette année», «Comment rencontrer des femmes» (réservé aux hommes), «Comment rencontrer des hommes» (réservé aux femmes), «Redevenir célibataire après 40 ans», «Comment faire un strip-tease pour votre amoureux», «Comment flirter, faire la cour et séduire», «L'astrologie et la compatibilité amoureuse», ou encore «99 façons de rencontrer un nouveau partenaire».

En plus d'offrir le calendrier Alaska Men, Susie Cates publie six fois l'an le magazine *Alaska Men USA* qui présente (avec photos couleurs à l'appui) une multitude d'hommes intéressants et fascinants à la recherche d'épouses. Les femmes peuvent aussi composer, 24 heures sur 24, un numéro de téléphone pour entendre la voix et le message de l'homme de l'Alaska de leur choix et lui laisser à leur tour un message personnalisé. Les compagnies de voyages comme The Alaska Connection offrent des excursions conçues pour les femmes qui désirent rencontrer les hommes de l'Alaska. Ces femmes peuvent en profiter pour faire de l'alpinisme, de l'observation d'ours et d'oiseaux, du canot, du portage, de la photographie, de la pêche au saumon, au crabe ou aux crevettes, des excursions en montgolfière et, bien sûr, des excursions pour voir les glaciers. Chaque année, le magazine présente son gala annuel de Noël des hommes à marier de l'Alaska et le coût de l'inscription est de 1385 $US environ, somme à laquelle il faudra ajouter le transport aérien. Le programme inclut l'hébergement, un dîner de gala et des activités au grand air telles que promenades en traîneaux à chiens, expéditions en raquettes et, bien évidemment, du ski.

La Finlande

L'amour l'après-midi est de rigueur en Finlande, où le gouvernement pousse la générosité jusqu'à subventionner des après-midis de tango afin de contrer la légendaire réserve des Finlandais.

La France

En France, il est parfaitement acceptable de sortir seul dans les soirées, pour autant qu'on n'y parle pas avec n'importe qui, un geste qui risquerait d'être mal jugé.

L'agence Réciproque à Paris insiste pour sa part sur le fait qu'elle répond à la demande d'une clientèle qui dispose de peu de temps pour la recherche d'un partenaire à cause d'un rythme de vie effréné.

En France, les entreprises d'alimentation sont devenues tellement conscientes de l'importance de la clientèle que constituent les personnes célibataires qu'elles offrent maintenant des dîners gastronomiques surgelés pour une personne. De plus, un Salon des célibataires est organisé chaque année à Paris afin que les gens vivant seuls puissent se renseigner sur toute la panoplie de services et de prix spéciaux que leur offrent les marchands.

Cependant, le snobisme envers les célibataires règne encore à Paris. Les agences de rencontre font paraître des annonces dans des publications élégantes comme *Le Bottin mondain* et *L'Éventail France*. Les frais d'inscription à ces agences peuvent s'élever à 1800 $, voire même plus de 2000 $, pour une période de temps déterminée.

L'industrie du voyage en France a aussi bien compris l'importance de la clientèle des célibataires et leur pouvoir financier. C'est pour cette raison qu'on offre aux gens libres tout un choix de voyages et de séjours pour personnes seules, privilégiant les destinations du Sud avec ses plages exotiques et sa végétation luxuriante.

Pourtant, en raison de la gêne que ressentent encore de nos jours plusieurs célibataires français, certains organismes spécialisés dans le marché des célibataires s'affichent et s'annoncent de façon «déguisée»: le club Eurofit à Paris, par exemple, est indéniablement un club éducatif et social pour personnes seules et offre toute une panoplie de cours allant de la danse «ballroom» aux échecs.

La Grande-Bretagne

Il y a tellement de gens libres en Angleterre que ce pays compte aujourd'hui plus de 1000 agences de rencontre. On dit qu'au moins une personne sur quatre fait appel aux services de l'une ou l'autre d'entre elles à un moment ou un autre de son existence. La plus importante de ces agences, Dateline, compte au-delà de 27 000 membres.

C'est d'ailleurs en Grande-Bretagne que l'«industrie des célibataires» a connu ses débuts dans le monde. Il s'agit maintenant d'une industrie hautement spécialisée: les yuppies, les végétariens, les homosexuels, les handicapés, les personnes âgées et pratiquement tout groupe social et ethnique peuvent trouver dans ce pays un service de rencontres «sur mesure» qui s'efforcera de répondre à leurs besoins spécifiques. Cependant, plusieurs agences attirent les gens snobs et plus sophistiqués, notamment l'Executive Club qui organise des soirées extrêmement huppées pour sa clientèle célibataire de l'élite aristocratique et bourgeoise.

La Grèce

La propriétaire d'Elkas, la plus importance agence de rencontre d'Athènes, rapporte avec beaucoup de franchise que plusieurs de ses clients souffrent de complexes. Ils manifestent des problèmes d'ordre caractériel qui, pour la plupart, résultent de la pression qu'exerce sur eux leur famille. En effet, plusieurs Grecs se marient encore aujourd'hui avec un proche de la famille et rencontrent des partenaires potentiels grâce à leur parenté.

La Hollande

Sans aucun doute, les gens les plus flirts de l'Europe sont les Hollandais: 70 p. 100 flirtent «passionnément». Ils sont suivis par les Italiens, leurs rivaux immédiats, avec 58 p. 100.

À Amsterdam, les femmes peuvent aisément établir des contacts avec les hommes sans craindre d'être mal jugées, et l'atmosphère générale y est amicale et détendue pour toute personne seule.

L'Italie

En Italie, les mœurs et les traditions font en sorte que la population s'adapte beaucoup plus difficilement à ce nouveau mouvement du célibat. Les facilités d'hébergement pour personnes seules sont quasi inexistantes. Les célibataires de 40 ans et plus sont même sujets à la discrimination. En Italie, on favorise une vie de couple et de famille stable. Le Vatican a d'ailleurs décrété que vivre seul n'était pas «normal». Pendant ce temps, un club de nuit au centre-ville de Rome fait fureur parmi les célibataires: le chic Hemingway. À Turin, une personne sur cinq vit seule. Vingt-neuf pour cent d'entre elles avouent souffrir de solitude et n'avoir que la télévision pour toute compagnie.

Le Japon

Comme on le sait, les hommes d'affaires du Japon sont très occupés à travailler pour réussir leur carrière, pour gagner une fortune et pour participer à l'évolution économique de leur pays. Bon nombre de Japonais se retrouvent donc encore célibataires à un âge tardif. Lors du recensement de 1985, on comptait deux fois plus d'hommes que de femmes célibataires dans la catégorie des 25 à 39 ans.

Au Japon, les mœurs ont tellement changé que les hommes avouent ne plus savoir trop bien comment courtiser la femme nouvelle. En effet, les femmes japonaises, maintenant sur le marché du travail, jouissent dorénavant d'une certaine indépendance financière. À Osaka, Satoshi Noguchi, auparavant vendeur de kimonos traditionnels pour les cérémonies officielles, a ouvert il y a deux ans une école appelée Mariage. Pour la somme de 800 $US environ, les hommes viennent de partout à travers le pays y suivre un cours à raison de deux fois par mois, pendant six mois.

Les hommes japonais avouent être très timides, se sentir extrêmement stressés par leur travail et ne disposer que de très peu de temps pour faire la cour. Satoshi Noguchi et ses assistantes commencent le cours en proposant à leurs élèves une amélioration de leur apparence et font des sessions de photographies «avant et après». Les participants sont initiés aux verres de contact et aux coupes de cheveux stylisées et élégantes, de même qu'aux vêtements d'importation italienne. Plus important encore, on y enseigne l'art de communiquer et de complimenter la femme.

La Malaysia

La capitale de la Malaysia, Kuala Lumpur, recèle un vaste pourcentage de célibataires. Plusieurs célibataires de haut calibre – jeunes cadres, médecins, comptables, gestionnaires et hommes d'affaires – se retrouvent souvent dans les nombreux clubs sociaux, bars d'hôtels chic, pubs et discos et clubs de karaoké qui parsèment la ville.

Les agences de rencontres poussent comme des champignons pour tirer bénéfice de cette vaste population de célibataires! Ce serait peut-être un bon endroit pour flirter, et trouver le partenaire qui vous conviendra!

La Norvège

Bien que près de la moitié de la population de la Norvège ne soit pas mariée, un grand nombre de couples y vivent en concubinage.

La Pologne

Malheureusement, la mentalité de l'homme polonais est encore bien rétrograde, car l'homme considère la femme qui sort dans un bar ou à la disco comme une fille facile, légère et dévergondée. Les magazines spécialisés comme *Feelings* et *Erotica* assurant la publication de petites annonces connaissent une popularité grandissante, particulièrement auprès des femmes polonaises des régions rurales souhaitant quitter le travail de la ferme pour intégrer la vie urbaine. Il en résulte une pénurie de femmes à marier dans les campagnes.

Le Portugal

Il existe une grande quantité de bars-rencontres à Lisbonne, par exemple le Bairro Alto, situé dans la vieille ville, et le Fragil, un des clubs de nuit les plus sophistiqués. Comme dans tous les bars, on y boit, on y fume, on y discute, et on y flirte. Les bars sont certes des endroits par excellence pour faire des rencontres, mais les femmes y souffrent cependant de la mentalité encore très «machiste» des hommes qui traitent aisément une femme rencontrée dans un bar ou une disco comme une prostituée.

La République populaire de Chine

Bien que les mariages organisés soient encore la norme dans bien des régions de la Chine, les jeunes ont envie de rencontrer des gens de leur âge et de faire leurs propres choix: cela a engendré l'ouverture de clubs sociaux d'un genre particulier où ils peuvent se rencontrer de façon informelle. Les universités mettent également sur pied des rencontres sociales qui encouragent les jeunes étudiants à se rencontrer malgré les obstacles de statut et de classe. Parce que la progéniture est limitée à un enfant par famille, les relations échappent désormais à la vaste influence de la famille étendue, et se fondent sur la compatibilité des partenaires d'un couple. L'âge du mariage, pour nombre de jeunes couples, a également changé: les jeunes femmes d'aujourd'hui veulent une meilleure éducation, et peut-être même une carrière qu'elles poursuivront après le mariage: elles se marient donc plus tard qu'auparavant.

Un grand nombre d'agences de rencontre sont donc apparues afin d'associer les filles de la Chine continentale avec les célibataires de Taiwan. Les agences gouvernementales, telles que l'Association des célibataires de la République de Chine (Singles' Association of the Republic of China), ont organisé des Stations de rencontres publiques (Public Meeting Stations) dans le cadre d'un travail de prise de conscience sociale. De plus, il y a dans la Chine entière des millions de célibataires qui cherchent la «bonne» personne, lorsque leur horaire chargé le leur permet.

La République tchèque

Il semble que Prague soit une ville très à la mode pour les célibataires des années 1990. Le problème auquel font face toute fois les célibataires tchèques est le manque d'intimité pour leurs ébats amoureux, une conséquence de la pénurie d'hébergement. Ce problème est si sérieux que même les couples divorcés recommencent leur nouvelle vie sous le même toit avec rien de plus qu'un simple rideau pour les séparer l'un de l'autre. On retrouve d'ailleurs la même situation chez les couples divorcés à Cuba.

La Russie

À Moscou, on constate une prolifération de femmes de carrière de haut calibre, faisant affaire avec des services de rencontre. L'agence Moscou Connections représente à elle seule 400 femmes cultivées, détentrices de doctorats – professeurs ou musiciennes – inscrites pour fins de mariage.

Singapour

À cause du nombre croissant de célibataires, comme dans la populaire chanson satirique: «*Single in Singapore/You don't know what you're in for*» (Célibataire à Singapour, vous ne savez pas ce qui vous attend), le gouvernement de Singapour a établi en 1984 l'Unité de développement social (Social Development

Unit ou S.D.U.) pour créer des occasions de rencontres sociales entre célibataires. Le message du S.D.U., c'est «Si vous voulez fonder une famille, n'attendez pas trop longtemps!» Récemment, l'organisation a établi des activités «Just-In-Time» pour célibataires qui voyagent beaucoup ou qui ont des heures de travail irrégulières. Les membres peuvent maintenant s'inscrire à une activité – un barbecue, un thé dansant, un week-end de camping, un match de tennis ou de golf – le jour même où elle se déroule: ainsi, parce qu'elles permettent les décisions impulsives, ces activités bien organisées sont plus spontanées et plus amusantes pour toutes les personnes concernées.

Les célibataires de Singapour s'attendent à trouver un mode de vie fondé sur l'argent, le condo, l'auto et la carte de crédit. S'ils n'avaient pas un horaire de travail chargé, n'importe quelle agence de rencontre aurait de la difficulté à satisfaire leurs désirs!

Cependant, le S.D.U. a un succès évident: ses efforts ont entraîné le mariage d'environ 2700 de leurs membres!

Actuellement, le quart des 15 000 membres du S.D.U. sont des diplômés universitaires et des professionnels, et presque 70 p. 100 des membres proviennent du secteur privé. Il n'est peut-être pas étonnant que presque 60 p. 100 de tous les membres soient âgés de moins de 30 ans.

Il serait bien de jeter un coup d'œil du côté de cette ville magnifique et d'y faire un flirt discret – ou deux, ou trois – tout en faisant des emplettes!

Taiwan

Selon les statistiques gouvernementales, il y a environ 4,3 millions de célibataires à Taiwan, environ le tiers de l'ensemble de la population adulte! Bien que la plupart des célibataires ne le soient pas par choix, une tradition d'obstacles sociaux et culturels rendent la tâche difficile aux hommes et aux femmes désireux de se rencontrer. Les hommes et les femmes fréquentent généralement des écoles et des universités différentes, et au travail aussi, la distribution des sexes est inégale.

Dans les villes où prédominent les emplois orientés vers les services, il y a plus de femmes que d'hommes. C'est le contraire dans les régions industrielles: là, le nombre des hommes dépasse celui des femmes.

En plus de ces obstacles à l'interaction sociale, les hommes et les femmes ont des attentes différentes par rapport au mariage. Bien que les femmes disent vouloir l'égalité des sexes, elles cherchent un mari qui vit mieux qu'elles. Et si nombre d'hommes instruits disent respecter l'égalité, ils veulent tout de même rester le membre dominant de la famille. Cependant, il y a des agences destinées à abattre les obstacles et à trouver des façons de présenter les gens les uns aux autres.

TABLE DES MATIÈRES

imprimerie gagné ltée

IMPRIMÉ AU CANADA